約束

石田衣良

角川文庫 14724

目次

約束

在原葉治《ありはらようじ》は、土井汗多《どいかんた》にとってほんものの英雄だった。カンタはまだ十歳だったけれど、二軒となりに住む幼なじみの同級生が掛値なしの英雄であることくらい、誰に教わらなくてもわかっていた。

もちろん、さして勉強しなくても成績優秀、スポーツクラブなどで鍛えなくても運動神経は抜群、やわらかな童顔にときおり未来の青年を思わせるきりりとしまった潔さをのぞかせる子どもは、どのクラスにもひとりかふたりはいる。だが、ヨウジはそんな月並みなできのいい生徒にとどまらなかった。

カンタがヨウジを思いだすのは、夏休みにはいる直前のスポーツ大会の姿が今でも多い。四年生のクラス対抗ドッジボール、カンタたちの三組は五組と決勝戦を争っていた。体格のいい男子と地元リトルリーグの中心選手が集まった五組は、試合では圧倒的に優位だった。普段はクールなところのあるヨウジが、味方の生き残りが三人になったとき、いきなり体育館に響きわたる声をあげた。

「まだまだ、これからだ。三組ガンバ！」

体操服を汗で透かして、三人のひとりだったヨウジが、敵に囲まれ叫んでいた。クラスの精神的な支柱がどこにあるのか、相手にもわかったらしい。それから五組の男子はヨウジを集中的に狙い始めた。三試合にわたる奮闘でヨウジはくたくたのはずだった。息も切れていたし、さらさらの前髪は筋を引いて額に張りついている。それでもヨウジはあきらめなかった。残るふたり、動きが鈍いのになぜかボールにあたらなかったラッキーな関口くんと、小柄で逃げ足だけ速い森田くんをかばいながら、ひとりで多数の敵に立ちむかっていく。

捕球のむずかしい低いボールは全身のバネをきかせて跳びあがり、高いものは床をなめるように伏せた。左右の攻撃は耳に刺さるゴム靴の音を残して、身体を急反転させる。ヨウジは逃げまわるだけではなかった。身体の中心線にむかってきたボールは、それがどれほど近距離からの強い球でも、果敢に胸を開いて捕りにいった。そんなときボールは糸を引いて勇気ある十歳の胸に吸いこまれていくのだ。ヨウジの活躍でターンオーバーが重なると、しだいに静かだった三組の男子に元気がでてきた。ヨウジのひと声で試合の流れが変わったのである。

結局、最後は非力なはずだった三組が勢いをつかんで逆転で五組を破った。早々と外野からの見学にまわったカンタにとって、それは奇跡に等しいことだった。自分自身も疲れきり、みんながあきらめているとき、最後の力を振り絞ってクラスメートを鼓舞し、崩れかけたチームを立て直す力。この幼なじみはほんとうに特別な力をもったやつだった。その日、カンタは自分がヨウジと仲よしであるというだけで胸がいっぱいになった。

ゲームオーバーの笛が鳴ると、あきれた様子で敗れた五組の数人がヨウジを囲み握手を求めた。ヨウジは汗をぬぐいながら挨拶《あいさつ》を交わし、笑顔で三組のほうへもどってくる。体育館の一角は歓声とハイタッチの嵐になった。ひとしきりもみくちゃにされてから、ヨウジは隅でちいさくなっていたカンタのところにやってきた。まぶしい笑顔でヨウジはいった。

「おれたち、やったな」

やったのはヨウジで自分ではないといいたかった。それでも、幼なじみのやさしい言葉はカンタには涙がでるほどうれしかった。ヨウジが本気でそういっているのを知っていたからである。いつだって、ヨウジはそうだった。先頭に立ち、すすむべき方向を示すことと、最後尾をのろのろとついていく落ちこぼれといっしょに歩くことが、無理せず自然にできる少年なのだ。ヨウジはカンタの誇りで、あこがれだった。

カンタの家で開かれた今年の七夕パーティで、ふたりは願いを書いた短冊をちいさな笹の枝にさげた。ヨウジはカンタのわき腹をつつく。なにを書いたのか、無言できいてきたのである。カンタは短冊を返して見せた。

「新しいマウンテンバイクがほしい」

だが、カンタは自転車などはほんとうはどうでもよかった。心からの願いは、ヨウジみたいにではなく、ヨウジそのものになることだった。いくら親友でもそんなことを書いたら、気もち悪いといわれるだろうと我慢していたのだ。カンタはその願いがかなうなら、なにを差しだしてもいいと思っていた。ヨウジと同じ人生を生きられるなら、ヨウジのなかに溶けてしまってもかまわない。そのほうが自分の一生よりずっと豊かで素晴らしいものと出会えるだろう。だって、それは在原葉治の人生なんだから。

そのヨウジがカンタの目のまえで死んだのは、二学期が始まって一週間もしない日のことだった。

九月五日は水曜日で、磨きたての窓のように朝から空は晴れていた。夏のなごりは遠い空の入道雲に磨き残しの跡のようにまぶしくのぞくだけだった。霧沢小学校では六時間目は定例のクラブ活動に割りふられている。ヨウジとカンタは同じ音楽クラブに属していた。自分たちで合奏したりするのではなく、最新の音響設備が整った音楽室で、思いおもいのディスクをきいてすごすだけの、楽なので子どもたちのあいだで人気のクラブである。

ふたりとも音楽をきちんときける年になっていた。あれはジャズのピアノトリオというのだろうか。ベースとドラムがうなりをあげ、ピアノがものすごいスピードでメロディのかけらをはじきだすと、自然に足がリズムを取ってしまう。クラシックのヴァイオリンソナタでは、2Hの鉛筆で引いたような細い線が目のまえを横切り、空間に細かな網目をつくっていく。その不思議な網目で捕らえられない人間の感情など存在しないようだった。

音楽はすごかった。一本の線だけでどんな気もちでも描きだせるのだ。

その日のプログラムはチャーリー・ヘイデンのキューバンジャズとブラームスのチェロソナタ一番だった。居眠りしている子どももいたが、ヨウジとカンタは一音も逃さないように音楽に集中していた。カザルスという名人が弾いていたというチェロの音は、でだしの低くうなるひと節だけで、ふたりをたっぷりと酔わせた。

クラブ活動が終わり教室からランドセルを取って校門をでるときにも、ヨウジとカンタの心には、しびれるように暗く激しいチェロの音が響いていた。東京の郊外にある霧沢小学校の校門は、でてすぐに幅の広い歩道になっている。歩道と車道のあいだは、ひと抱えもあるソメイヨシノとケヤキの大木が交互に並ぶ植えこみだった。歩道の敷石も木々の緑もあたりを歩く人たちも、煙るような夕暮れの光りのなかにいた。カンタの左手、手を伸ばせばとどくところにヨウジが歩いていた。カンタはときどき踏みだす足をかえて、いっしょに行進でもするようにヨウジと足をそろえた。そうするとなぜか得意な気分になるのだ。スキップするように何度目かに足を踏みかえた瞬間、買いもの帰りの主婦と制服姿の中高生がいきかう歩道で叫び声があがった。駅がある左手の方向からだった。

「気をつけろ、ナイフもってるぞ」

カンタは声のあたりを見た。金色の光りのなか、黒いつむじ風が巻き起こったようだった。タンクトップと短パンをだらしなく着崩した若い男が、すごい速さで走りながら通行人に右手を突きだしていく。ぶつかっては跳ねかえり、そのたびに力と速さを増していくようだ。ナイフの刃で片方の腕だけ異様に長く見えるのが不気味だった。あちこちで悲鳴があがり、夕暮れの人波が割れて歩道の中央が無人の帯になった。その白い帯の先に霧沢小学校の正門と立ちすくむヨウジとカンタがいた。

若い男がなにかわからないことを叫びながら走ってくる。カンタは肩まで血に濡《ぬ》れた右腕と土ぼこりでくるぶしまで染まった男の裸足の足先をしびれたまま見つめていた。

「逃げろー」

どこかで大人が叫んでいた。最初に動いたのはヨウジだった。口を開けて立っていたカンタの肩口を、振りむきざま突きとばす。カンタは両手をつくこともできず歩道に伸びると、横倒しになった視界でそれから起こることを見つめていた。

男の裸足の足先が見えた。親指の爪が泥で三日月型に黒くなっている。男はヨウジのまえでつま先立ちで停止していた。カンタは男の酸っぱい汗のにおいをかいだ。ヨウジは驚いたようにこちらを見つめ、それから男を振りむいた。血まみれの右腕をした男が目のまえにいるのに、ヨウジは逃げようとしなかった。カンタと男のあいだに立ちはだかるように、その場に立ちつくしている。男のむきだしのふくらはぎが破れるほど筋を浮かべると、一瞬遅れて男は身体を半転させながら、でたらめな速さで右手をふるった。風を切る音がして、ヨウジの首のどこかに鋭い刃先がかすめたようだった。ヨウジは首筋を押さえて、すとんとその場に座りこんだ。驚いた表情をしている。きゃしゃな指のあいだから血が噴きだし、白いGAP KIDSのTシャツを重く濡らしていった。ヨウジの身体からでた液体はスプリンクラーのように乾いた歩道に散っていく。雨の降り始めと同じ湿ったにおいをカンタは地面のそばでかいだ。

「アー、アー、アー」

誰かが叫んでいた。男はまたつぎの獲物を探しに、ぺたぺたと歩道の敷石を鳴らして走っていく。カンタはヨウジの身体から命が抜けていくのを、なにもできずに見あげていた。きちんと正座したままの姿勢で、涙の膜が張ったヨウジの目から、日没十分後の西空のように光りが薄れていく。

「アー、アー、アー」

カンタはヨウジのそばにいきたかった。自分を助けてくれた礼をいいたかった。だが、近くにひどくうるさいやつがいる。アー、アー、アー、その声はすでにのどが裂けるほどの高さに達していた。ヨウジが死にそうなのに、ひどくうるさいやつがいる。

その悲鳴が自分の腹の底から飛びでているのに気づいたとき、カンタは意識を失い、音を立てて歩道に側頭部を落とした。

ショック症状を起こしたカンタはその夜、ひと晩だけ市民病院に入院した。どこにも外傷はなかったが、いつまでも手足の先が青白く冷えたままで、カンタは眠りながら震えていた。夜半に意識を取りもどしたとき、最初に母親の由美恵《ゆみえ》にきいたのはヨウジのことだった。

「ねえ、ヨウジはだいじょうぶだったの」

由美恵は医者からいわれていたとおりの返事をした。

「うん、今も別の部屋でがんばってる。カンタは人の心配なんてしなくていいから、ゆっくり休みなさい」

カンタは安心して、スポーツドリンクのお湯割りを紙コップに半分のむと、また浅い眠りにもどっていった。

カンタは翌日の午後自宅に帰っている。家のまえには驚くほどの数の人たちが集まっていた。神経質なほど区画整理のいきとどいた新興住宅地の広い通りが、むこう側も見えないほどの混雑を起こしていた。心配で駆けつけた近所の人、遠くから車できたやじうま、カメラやマイクにテープレコーダーなどなにかしら機材をもった報道関係者。自家用車をおりて家のドアにはいるまで、父の智哉《ともや》とおむかいの大塚のおじさんが盾になって、カンタを人々の目とレンズから守ってくれた。

一日ぶりのリヴィングルームは別な家のようだった。いつもならテーブルのうえにある朝刊は片づけられ、つけっ放しのテレビも消されている。父と母は事件のことをなにも話さなかった。カンタは不安を隠してあくびをした。キッチンでカンタの好物、カレー風味のオムライスをつくっている由美恵にいう。

「ちょっと部屋から、マンガ取ってくる」

そういって階段を静かにのぼった。部屋にいけば、ベッドサイドにゲーム用の十四インチテレビがおいてある。カンタは胸を鳴らしながら、リモコンのスイッチを押した。

「霧沢のとおり魔事件の続報です」

最初に沈痛を装ったレポーターの声がきこえて、黒い画面が見慣れたヨウジの家になった。午後のワイドショーだった。おかしい、家にはいっていく人がみなハンカチで目を押さえている。カンタの不安は一気に高まった。

「六人の被害者のうち、ただひとりの犠牲者となってしまった霧沢小学校四年生、在原葉治くんのご自宅は、昨日から深い悲しみに包まれています」

画面の右うえに丸くヨウジの顔写真が映った。ドッジボール大会で優勝したあと、担任の山下先生が撮ったデジタルカメラの映像だ。得意げで底抜けに明るい笑顔だった。汗でびしょ濡れの髪を横分けにして、両腕をクラスメートにまわしている。その右腕の先は画面には映っていないが、カンタ自身が誇らしげに肩を並べていたはずだ。記念写真を撮る直前、ヨウジがカンタを呼んで一番いい場所を空けてくれたのだ。

「死んじゃった。ぼくは生きてるのに、ヨウジは死んじゃった」

カーテンが閉め切られた子ども部屋に、抑揚のない声が吸いこまれていった。その声を他人《ひと》ごとのようにきいてカンタはおかしくなった。


まだ明るいうちに晩ごはんが始まった。マスコミ各社の取材に一度だけまとめて応じてから、智哉はインターホンと電話のジャックを抜いてしまった。家の外ではざわざわと大勢の人間が集まる嵐の夜のような音がしたけれど、父も母もなにもない振りをしていた。カンタは黙って、スプーンを口に運んだ。ふわふわに焼かれたタマゴも、しゃっきりと歯ざわりを残した透明なタマネギも、溶けたチーズと絡む香ばしいカレーピラフも、カンタの口のなかでは同じだった。味などまるでないし、食感も区別できない。カンタは測量技師が地面を巻き尺で区分するように、楕円《だえん》形のオムライスを正確に崩し、一定のペースでのみこんでいった。これをたべなければ、きっと両親は外出を許してはくれないだろう。苦手のアスパラガスサラダも味がしないので簡単に片づいた。逆流しそうになる嚥下《えんか》物は、ヨーグルトドリンクで胃の奥まで流しこむ。両親がたべ終えるのを待って、カンタはいった。

「ちょっとヨウジの家にいってきてもいい」

夏の夜など夕食後も、よく幼なじみと遊ぶことがあった。そんなときには、きらいな野菜をきちんとたべさえすれば、たいていは許してくれたのだ。ダイニングテーブルのむこうで父と母の顔は曇った。智哉がいった。

「今夜はやめておいたほうがいいんじゃないか。おもては人でいっぱいだ」

カンタが返事をするまえに、由美恵がいった。

「そうね、まだ身体が本調子じゃないし、今夜はやめておいたら」

夫婦げんかのときと同じだった。大事なことを隠してごまかそうとしている。カンタは静かにいった。

「ヨウジのことなら、ぼくはもう知ってる。今夜じゃなきゃダメなんだ。ヨウジのおじさんとおばさんに、どうしてもいいたいことがある」

智哉と由美恵の顔色が変わった。

「それはあの事件のことなの」

カンタがうなずくと両親はキッチンに立った。ひそひそと話をしてもどってくる。父の目が赤くなっているのがわかった。

「わかった。わたしたちもいっしょにいく。ちゃんとヨウジくんにお別れをいいにいこう」

ビデオカメラ用の照明で真昼のように白い通りを、カンタは両親にはさまれて歩いた。

カンタの家のドアが開くと、二軒となりのヨウジの玄関先で待ち構えていた報道陣が色めきたった。餌を見つけたアメーバのようにまばゆい触手が伸びてくる。フラッシュの光りは肌のおもてをたたくように痛かったが、カンタはぼんやりと笑顔を浮かべて周囲の騒動を眺めるだけだった。

外壁の色だけカンタの家とは違う建て売り住宅のまえで、ヨウジの父、春治《しゅんじ》が出迎えてくれた。一日で見違えるほどやせ細っていた。目のまわりは赤く腫《は》れ、くぼんでいる。智哉に目礼するとカンタにいった。

「よくきてくれたね、ヨウジに会ってやってくれ」

玄関のたたきを満たす大人の黒い革靴を見てカンタは緊張した。短い廊下を抜けリヴィングルームにはいると、そこは黒っぽい恰好《かっこう》をした見知らぬ人たちでいっぱいだった。ヨウジといっしょにカードゲームや夏休みの宿題をしたアルミサッシの窓辺に白い布で包まれた祭壇が飾られ、その手まえにちいさな食器棚くらいのおおきさの棺《ひつぎ》が安置されていた。見あげると白い花に縁どられたヨウジの写真があった。テレビと同じ笑顔だ。

立ちつくしたままのカンタの肩を、父がなでるようにたたいた。

「だいじょうぶか、カンタ。別な部屋にいくか」

首を横に振り、カンタがいった。

「ヨウジを見たいんだ。いってきてもいい」

カンタは薄い笑顔を浮かべたまま、ヨウジの棺に近づいていった。横には放心したようにヨウジの母、尚子《しょうこ》が座っていた。初めて見る棺は木ではなくプラスチックでできているようにすべすべしていた。ふたについた小窓を春治が開けてくれる。

カンタは幼なじみの顔を見た。出血のせいか肌の裏まで透けそうな白さだった。ヨウジは死んでいるのではなく、眠っているようにしか見えなかった。おもちゃや菓子が窓の隅にのぞいている。カンタは小脇に抱えていたファイルをヨウジの父に差しだした。ふたりでいっしょに遊んだ対戦ゲームのゴールドカードがもれなく集められたファイルで、カンタの一番大切なものだった。

「ヨウジにあげてください」

「そんなに大事なものをもらっていいのかな」

春治がそういうと尚子が正面をむいたままぼろぼろと涙をこぼした。カンタは静かにいった。

「ヨウジは最後にぼくを守ってくれました。ぼくの代わりに死んじゃったんです。おじさん、おばさん、ごめんなさい」

尚子が中腰になってカンタの肩に両手をのせた。目には涙とは別な光りがある。

「どういうことなの、詳しく話してくれる、カンタくん」

カンタは抑揚のない声で襲撃の一部始終を話した。話の途中で周囲に人が集まってくるのがわかった。ヨウジが男の手がとどかないようにカンタを突きとばし、とおり魔とのあいだに立ちふさがったというと、弔問客からため息が漏れた。最後にカンタはいった。

「ヨウジはすごいやつでした。ほんとうはぼくが死ねばよかった。クラスのみんなだって、きっとそう思っているはずです。ぼくなんて、あってもなくてもいいザコカードだけど、ヨウジは最高のプラチナカードでした。おじさん、おばさん、ごめんなさい。ぼくが生きてて、ごめんなさい。ヨウジが死んじゃったのに、ぼくが生きててごめんなさい」

その場にいる人のすべてが涙を落とすなか、ひとりだけ輪の中心で泣いていないものがいた。カンタだった。カンタが通夜の席にいたのは三十分ほどだったが、先に帰った弔問客から報道関係者に話が伝わったらしい。玄関をでると報道陣が押し寄せてきた。二軒となりの自宅に帰るまで、カンタと両親は一時間以上かかった。カンタが求められるままに、何度も繰り返しヨウジの勇敢さを記者たちに語ったせいである。

そのあいだぼんやりとした笑いがカンタの顔から消えることはなかった。


翌日の新聞の社会面は、カンタとヨウジの話で埋まった。カンタがヨウジといっしょに撮った写真やカードゲームのファイルが、どの新聞でもおおきく紙面を飾った。朝食の最中には警察署から電話があり、午後にはカンタは取り調べ室で再び同じ話を淡々と語った。ヨウジの話をするのが生き残ったカンタの義務のようだった。

自宅に戻ったカンタには、由美恵がさまざまな菓子を用意していた。アイスクリームだけで三種類もある。普段は禁止されているコーラも並んでいた。味のしないアイスを黙々と口に運ぶカンタを満足そうに見て、ダイニングテーブルのむこう側から由美恵がいった。

「ねえ、カンタはいってたでしょう、自分が死んでヨウジくんが生きているほうがよかったって。でもね、わたしはそうは思わない。おとうさんも同じよ。ヨウジくんのご両親には悪いけど、やっぱりカンタが怪我もせずに、こうして生きていてほんとうによかった。その意味ではヨウジくんにすごく感謝している」

カンタはほほえんで母にうなずいた。

「生きている人はみんなかけがえのない存在で、みんな平等なの。ヨウジくんは確かに立派な男の子だったけど、カンタにだっていいところはたくさんある。今度の事件のことを勇気をだしてみんなに話したけど、大人だって普通はあんなに堂々とできないよ。カンタ、ヨウジくんの分もがんばって生きようね。わかった」

自分の人生だってしっかり生きられないのに、遥《はる》かに豊かなはずのヨウジの分までどうやって生きていけばいいのだろう。人はみな平等だというけれど、ほんとうだろうか。それではあのとおり魔の男とヨウジも平等だったのだろうか。カンタには自分とヨウジが同じとは、どうしても思えなかった。倒れていただけの自分が生き残り、自分を守ってヨウジは死んだ。その結果まで平等で、命に同じ価値があるといえるだろうか。それなら、なおさら自分が死んでヨウジが生きればよかった。カンタにはテーブルが大河のように広く見えた。むこう岸にいる母にぽつりといった。

「わかった。ぼくは生きてるから、生きるよ」

カンタは椅子を滑りおり、自分の部屋にあがった。閉め切った部屋でベッドにはいり、ヨウジのことを思いだすためである。両親はカンタが引きこもりがちなのは、事件の後遺症で疲れているせいだろうと考えていたが、カンタは疲れてなどいなかった。暗い部屋でベッドに横になり、何度でもヨウジのことを思いだしたかっただけなのである。

カンタが霧沢小学校にもどったのは、休み明けの月曜日だった。誰にも声をかけられないように肩を丸めて、かよい慣れた通学路をたどった。学校まえの広い歩道にでると、ソメイヨシノとケヤキの緑が塗りたての水彩絵の具のようにみずみずしく目にはいってきた。敷石は隅々まで清掃され、朝の光りに磨かれている。ヨウジはもういないのに、世界がこんなにきれいなのが不思議だった。

正門に近づいていくと、遠くからでも花束が重なっているのがわかった。小山のような花束を見て、カンタの足はとまった。あの事件が起きた門はとおりたくない。カンタはその朝、小学校を半周して裏手の教職員用の通用門から校内にはいった。

一時間目が始まるまえに特別ホームルームが開かれ、担任の山下先生が事件のことにはふれずに、カンタが今日からクラスにもどることを告げた。クラスメートはみな熱心に拍手してくれたが、カンタにはヨウジのいないクラスは奇妙に冷ややかに見えた。それは、カンタだけの印象ではないようだった。どの生徒もおおきな声をだそうとも、笑おうともしなかった。互いの視線を避けるように相手に接している。カンタだけでなく、四年三組のクラス全体が太陽のような存在だったヨウジを失ったことに苦しんでいたのだ。

午前中の授業でクラスメートの苦痛を確信したカンタはますます自分を責め、座席のうえで身体をちいさくしていた。先生の立つ教壇と窓際のカンタの席の中間、斜め三列まえにヨウジのものだった机があり、花瓶に生けたカスミソウが飾られていた。カンタはその花瓶を正視できず、その日は教師の顔を見ることも、黒板の文字を写すこともできなかった。

担任の山下靖人《やすと》が副学級委員の城井《しろい》みずきから呼ばれたのは、昼休みも終わり近くなってからだった。職員室に駆けこんできた少女が叫んだ。

「先生、カンタくんの様子がおかしいんです。すぐにきてください」

わたり廊下を抜けて山下は女生徒と走った。うわ履きのまま校庭におりる。校舎の横手にある花壇のあたりで人だかりがしていた。

「カンタ、もうやめろよ」

「やめて、カンタくん、そんなことしたら死んじゃうよ」

山下は三組の生徒をかき分けて最前列にでた。カンタのちいさな背中が見えた。カンタはしゃがみこみ地面からなにかを拾い、口に運んでいる。

「土井、どうした。なにしてるんだ」

カンタはうっすらと笑ったまま振り返った。口元には白く粉が浮いている。生徒の誰かがいった。

「地面を見てぼおーっとしてると思ったら、カンタくんが急に校庭の砂をたべ始めたんです。先生、カンタくんをなんとかして。もういっぱいたべちゃってる」

女子の何人かが泣きだしたが、カンタは不思議なものでも見るようにクラスメートを眺めるだけだった。

カンタはその場から救急車で市民病院に運ばれた。由美恵がやってきたのは、胃洗浄を済ませ鎮静剤でうとうとしているところだった。

「だいじょうぶ、カンタ。どうして校庭の砂なんてたべたの」

「ごめんなさい。あれからなにをたべても、味がしないんだ。それで、砂をたべたらどんなふうな味がするのかと思って。気がついたら口にいれてた」

由美恵の顔色が青ざめていった。薄い笑いはカンタの幼い顔に張りついたままだ。

「砂をたべても同じだった。やっぱり味はしなかったよ」

由美恵はベッドで半身を起こした息子を泣きながら抱きしめたが、カンタにはなぜそんな騒ぎになるのかよくわからなかった。砂もアイスクリームもオムライスも、カンタには同じだったからである。すべて砂の味がするのだ。

地区の教育委員会はその日のうちに会合を開き、スクールカウンセラーの派遣を決定した。午前中は霧沢小学校で、午後はカンタの自宅に足を運ばせ、傷ついた児童の心の修復を図るためである。

カンタはショックがおおきいため、その週は自宅学習という形を取り、学校を欠席することになった。夜には担任教師の山下がドリルの束をもって、カンタの家を訪れている。山下とカンタの両親の対話は深夜まで続いたが、簡単に結論などだせるはずがないことは双方がよくわかっていた。

翌日から、午後一番に中年女性のスクールカウンセラーがカンタの家にやってくるようになった。カウンセラーは無理はしなかった。事件のことを話そうとも、小学校に早くもどれともいわなかった。カンタと雑談して、いっしょにゲームを楽しみ、ときにはドリルを手伝い、三時のおやつをたべると帰っていく。カンタも表面上は礼儀正しく接していた。

教育委員会に提出されたカウンセリングの報告書には、こう書かれている。

「該当児童は衝撃的な事件に遭遇し、目のまえで親友を失ったことによりＰＴＳＤを発症しているが、これは一時的なもので現在は徐々に快方にむかいつつある。依然として自己の内側に閉じこもりがちな傾向はあるが、両親との面談によれば、これは生来の気質らしく、問題ではなかろう。経過措置としてつぎの一週間を自宅学習と定め、異常が認められなければ、霧沢小学校への早期の復学が適切であると思われる」

カンタが二度目の事件を起こしたのは、事件から十二日目、報告書が委員会に提出された月曜日のことだった。

その日の夜八時半、カンタはいつものように入浴した。父は残業でまだ帰宅せず、母はキッチンで夕食のあと片づけをしていた。由美恵はカンタにしては長い風呂《ふろ》だなと思ったが、毎週欠かさず見ている生活情報番組に気を取られ、全自動洗濯機のスイッチを押すため脱衣所にむかったのは、九時すぎのことだった。

由美恵はそこで低いうめき声をきいた。洗濯ネットを放りだし、浴室の扉をたたく。半透明のプラスチックを通して、シャワーの水音が盛大に響いてきた。

「カンタ、どうしたの、なにかあったの」

白いレバーに手をかけたが、内鍵《うちかぎ》が閉められているようでレバーは動かなかった。由美恵は曇った窓を平手でたたき、扉に全身をぶつけた。

「カンタ、ここを開けて、でてきなさい」

由美恵はパニックを起こしそうだった。プラスチックの扉がさわれないほど熱しているように感じたからである。何度目かの衝撃で薄い扉がたわみ、跳ね飛ぶように内側に開いた。浴室のなかには誰の姿も見えなかった。ぐらぐらと煮え立つような水蒸気で目のまえは白く塗りこめられている。

透明な冷気が下方から流れこんでくると、最初に灰色のタイルが見えた。そこでカンタが裸のままちいさな背中を丸めていた。由美恵はシャワー栓に飛びつき、蛇口を閉じた。冷水のほうは最初から閉まったままで、熱湯のほうだけ全開になっている。浴室の床は裸足では歩けないほどの熱さだった。

「カンタ、しっかりしなさい」

カンタは目を閉じてうめき声をあげるだけで、返事をしなかった。救急車がくるまでの十五分間、由美恵はシャワーの冷水をすでに赤く腫《は》れあがったカンタの背中と左足にかけ続けた。

二度目の自傷事件でカンタの小学校への復帰は、さらに一週間遅らされることになった。両親はひどく心配し、学校側とスクールカウンセラーは落胆したが、カンタは二日間の入院から自宅に帰ると、いつもの礼儀正しく内気で、なにを考えているかわからない子どもにもどった。カウンセラーは新たに児童心理学の専門家を連れてきて、カンタと面接させた。

学校はカンタは重度のＰＴＳＤで、発作的な自傷行為に走る可能性が今後も考えられ、最悪の場合は自殺に至ることもあると両親に告げた。あわせて二十四時間監視下におけるなんらかの施設への入所をすすめたが、由美恵は頑としてカンタを手放すことに反対した。由美恵には事件を起こすとき以外のカンタは、それまでとどこも変わりないように思えたのである。自分さえ目を離さなければ、カンタは自身を傷つけるようなことはしないし、いつかはきっととおり魔事件の衝撃から立ち直るに違いない。なんといってもカンタはごく普通の家の子どもで、毎日を一生懸命生きている自分たちのひとり息子なのだ。それにカンタが苦しんでいるとき、遠くに離れているのは母親として耐え難い。安全な場所からではなく、同じ屋根のしたでいっしょに苦しんであげたい。

涙を落とさないように必死でこたえる由美恵に、専門家も強く反対することはできなかった。カンタはそれまでどおり、自宅で静養と自習を続けることが決定された。普段のカンタは内気だが利発でやさしい少年である。土井家には静かな日々がもどったようだった。カンタはそれから三日間、由美恵の期待どおりなにも問題を起こさなかった。

日曜日は大型の台風十四号が関東地方南部を直撃していた。それまでカンタは両親の寝室でいっしょに眠っていたが、その日からようやく自分の部屋で夜をすごすことを許されていた。

電線が風を切り、嵐が梢《こずえ》を削る音でカンタが目覚めたのは、深夜の三時すぎだった。しばらく嵐の音をきき、ヨウジの通夜があった日のようだと思い、カンタはベッドでまっすぐに上半身を起こした。ロボットのようにパジャマを脱ぎ、タンスを開ける。

「もう終わりにしたほうがいいんだ」

自分の声をした誰かが心のなかでいっていた。カンタの内側でも、嵐が吹き荒れている。その声は風にのって自分のなかの遠いどこかから運ばれてくるようだった。カンタはとおり魔事件のあった日の服を選び、ベッドに広げた。緑と白のボーダーTシャツにモスグリーンのジーンズ素材の短パンだった。暗がりのなか着替えを済ませると、学習机のところにいった。最上段の薄い引きだしを開け、ステンレススチール製のカッターを取ると、短パンのポケットに落とした。ちいさなカッターの心地よい重さは、カンタの心を鎮めてくれた。

「どこで終わりにしようかな」

うっすらと笑みを浮かべて、自分の声にうなずき返すと、カンタは裂いて結んだシーツのロープを手に嵐が吹き荒れる窓辺にむかった。窓を開け、ロープをたらす。カンタはうしろむきでゆっくりと二階の窓から伝いおりていった。

カンタの窓のましたにはおおきなベンジャミンの鉢植えがある。あの素焼きの鉢を倒したら、いくら嵐がきているとはいえ両親も目を覚ますだろう。カンタは緑をよけて音を立てずに地面におり、真夜中の玄関先に立った。開いたままの自分の部屋の窓と、住まいの全景を最後にゆっくりと目に焼きつけた。ロープが風にしなり、煤《すす》けた外壁にあたっている。引っ越してきたときはぴかぴか輝いているようだったのに、家も年を取るようだった。

カンタはちいさく声にだしてみた。

「さよなら、ぼくの家。さよなら、おとうさん、おかあさん」

それからはもう振り返らなかった。物干しスタンドと自家用車をおけば余裕のなくなる狭い庭を抜け、鋳鉄の門を開けるとカンタは死に場所を探すために嵐の町にでた。

最初に訪れたのは、小学校にはいるまえからヨウジとよく遊んだ児童遊園だった。吹き荒れる強風で木々の枝がしなり、秋の葉がめくれ返っているが、カンタには公園がひどく静かに感じられた。中央にコンクリート製の築山があり、そのてっぺんに水銀灯が横なぐりの雨に包まれるように立っている。風と雨の音は激しかったが、ブランコもシーソーも滑り台も奇妙に静止しているようだった。

ここでヨウジのシュートを顔面に受けて鼻血をだしたのだ。小学校にはいったばかりのことだった。ぼくは血の色を見て怖くなり、貧血を起こして倒れてしまった。ヨウジは走って家までいき、おかあさんを連れてきてくれたっけ。ぼくが自殺してほかの子どもたちが気味悪がり遊べなくなると悪いから、ここではやめておこう。

カンタはつぎの場所を目指して、無人の新興住宅地を歩き始めた。激しい雨が下着までとおり、指先も冷たくなっている。震えそうになるとカンタはポケットのなかのカッターをにぎった。薄い布越しにふとももにふれるカッターはぬくぬくとあたたかく、安らぎと熱を指先に伝えてくれた。

つぎにカンタが訪れたのはおおきな本屋の駐車場だった。この店は夜の十一時までやっていて、子どもむけの本も充実していた。雨の日はよくここでヨウジと時間を潰《つぶ》したものだ。通路の端に座り、しかられるまで一時間でも二時間でもマンガを読んですごした。雨の日に死ぬにはちょうどいい場所かもしれない。

吹きさらしの駐車場には何台か自動車が放置されていた。ここならすぐにぼくの身体も見つけてもらえるだろう。そう思って駐車場の奥にすすもうとしたとき、灯《あかり》の消えたワゴン車のなかでなにか黒いものが動いた気配がした。死ぬ気になっていても、怖いものは怖かった。カンタは本屋の駐車場を飛びだすと、しばらく嵐のなかを雨がはいらないように目を半分閉じて走った。

それからカンタはヨウジとの思い出の場所をつぎつぎと訪ねていった。目敏《めざと》いおばあちゃんが店番をしている駄菓子屋、ほとんどのゲームとプラモデルを買ったいきつけのおもちゃ屋、初めて子どもだけではいりラーメンとひと皿の餃子《ギョーザ》を分けあった中華料理屋。ヨウジといっしょに五百円玉をひとつずつだして代金を払ったとき、すごく大人になったような誇らしい気もちになったのを昨日のことのように覚えている。冷たく取り澄まして見える新しい住宅地のあちこちに、懐かしい思い出の場所が見つかるのだった。カンタは嵐の夜を笑いながら歩いていた。今度は仮面のような薄い笑いではなく、ヨウジとのかけがえのない懐かしさが生むほんものの笑顔だった。

　どれくらいの時間がたったのかわからなくなったころ、カンタはいつのまにかかよい慣れた通学路にでていた。小学校のほうへ自然に足がむいてしまう。車道にはソメイヨシノのおおきな枝が折れて横たわっていた。まだ青いケヤキの葉がたくさん濡《ぬ》れ落ちて、歩道をまだらに染めている。あいかわらず強風が吹き荒れ、雲はすごい速さで空を走っていくが、どうやら雨はあがったようだった。東の空の隅だけが銀色を混ぜたように鈍く光っていた。

　カンタはびしょ濡れのまま、明け方の通学路をたどった。この道をあの日とおり魔が走ったのだ。事件のあと犯人はすぐに逮捕されたが、つかまえてみれば気の弱そうな大学生だった。カンタはあんなやつのことはどうでもよかった。取り調べや裁判のゆくえなどに興味はない。カンタにはヨウジが失われてしまったことがすべてだった。

　校門が見えてきた。ヨウジが死んだ場所だ。やはりここがいいだろうと思った。ヨウジが死んだ場所で自分が死ねば、いつまでもヨウジと自分の名前は結びつけられ、みんなに覚えていてもらえるだろう。花束だって一回で済むから、お参りをする人にも便利に違いない。

霧沢小学校の正門はコンクリートの塀が切れて、自動車が二台すれ違えるほどの幅の鉄製ゲートになっていた。カンタはポケットのなかのカッターをにぎりながら、校門を目指して歩いた。いつのまにか雨だけでなく、風もやんでしまったようだった。このあたり一帯が台風の目にでもはいったのだろうか。嵐の音に慣れた耳に、痛いほどの静けさがもどってくる。ヴァイオリンの一番細い弦をゆっくりとこするような高く鋭い音が、とぎれることなく周囲を満たしていた。カンタは緊張に顔をこわばらせながら、あの日と同じ静かな校門に近づいていった。

そのとき閉じていたはずのゲートを抜けて、コンクリート製の門柱の陰からヨウジがあらわれた。白いGAP　KIDSのTシャツは最後に見たときと同じだが、どこにも血の染みは見えない。ヨウジは笑っていった。

「カンタ、びしょ濡れだね。由美恵さんに怒られるぞ」

ヨウジはヨウジのままで、死んでいるようにはまったく見えなかった。生きているときと同じで、気をつかってカンタの母をおばさんとは呼ばずに名前で呼んでいる。カンタはヨウジを怖いとは思わなかった。昔のように顔を見て、声がきけるのがただうれしかった。

カンタは遠慮なくきいた。

「ねえ、あっちの世界ってどんな感じ」

賢そうな眉《まゆ》がひそめられた。一瞬の間をおいてヨウジはいった。

「うーん、静かだよ。どひゃーって楽しいことはないんだ。ドッジボール大会みたいなこともない。でも慣れると静かなのも悪くないよ」

カンタは校門のまえで二メートルほど離れてヨウジに対していた。もっと近づきたくて足を踏みだそうとすると、ヨウジがいった。

「ダメだよ。あまりぼくに近づいたらダメなんだ。カンタももどれなくなる」

カンタは濡れてもものに張りつくポケットに手をいれ、カッターを強くにぎりしめた。叫ぶようにいう。

「いいんだ。ぼくもヨウジのところにいくって決めたんだ。そっちでまたふたりで、今度は静かに遊ぼう」

ヨウジは淋《さび》しそうな顔をした。

「そうできたら楽しいだろうけど、やっぱりダメだ。ぼくはカンタに生きていてもらいたい」

「ぼくなんかが生きてたってしょうがないよ。ヨウジが死んじゃったのに、ぼくが生きてるなんておかしい。ヨウジはぼくなんか守らなきゃよかったんだ。ヨウジ、ごめん、足手まといのぼくがいなかったら、ひとりで楽に逃げられただろ。ぼくのせいでヨウジが死んじゃって、ごめん」

言葉の途中でカンタは涙がとまらなくなった。ヨウジは何度も首を横に振っている。カンタは死んでしまった人間も目から涙を落とすのが不思議だった。ヨウジがしっかりした声でいった。

「ぼくこそ、ごめん、悪かった」

ヨウジに謝られ、カンタは驚いた。ヨウジは静かに続ける。

「あの男が走ってきたときほんとうに怖くて、ぼくは反対の方向へ逃げようとしたんだ。それで目のまえにカンタがいたから突き飛ばしてしまった。倒れたカンタを見たら、びっくりして足がすくんで動けなくなっちゃった。だから間にあわなかった」

「でも、それはぼくを見放すのが嫌でその場にいたんでしょう」

ヨウジは首をかしげた。さらさらの前髪が形を変える。カンタは雨に濡れていたが、ヨウジはしまいたての洗濯物のようにあたたかく乾いているようだ。

「それは何度も考えた。でも、あの一瞬にそんなことを思っている時間はなかったよ。倒れて目を丸くしているカンタを見て、なぜかぼくもお腹の底からびっくりしてしまった。ほんとうにびっくりすると人間てなにもできなくなるんだね」

そうかもしれないと思った。もしあの男がヨウジのあとでカンタに注意を移していたら、カンタは横になったままなにもできずに襲われただろう。それでもカンタはいった。

「結果的にヨウジがぼくを守ってくれたことに変わりないよ。ヨウジは知らないでしょ、七夕パーティのことを覚えてる」

ヨウジがうなずくのを見て、カンタはいった。

「ぼくはあの日、新しい自転車がほしいなんて短冊に書いたけど、嘘だったんだ。ぼくはほんとうは自分ではなくて、在原葉治になりたかった。もう死んじゃったからいうけど、ヨウジはぼくの誇りで目標であこがれだった。幼なじみでいてくれるだけでうれしくてしかたなかったんだ。だからヨウジが死んだら、ぼくも死にたい。ヨウジのいない世界で生きているのは耐えられないよ」

ヨウジはあの日のように血ではなく、涙の粒を白いTシャツにいくつも落とした。

「ありがとう。カンタはぼくにはお守りだった」

「どういうこと」

「カンタは幼稚園のこと覚えてるかな。ぼくたちは身体もちいさかったし、結構いじめられたろ。ぼくが今みたいになったのは小学校にはいってからだ。なぜか知らないけど、急に成績がよくなって、思うとおりに身体が動くようになって、学級委員にも選ばれるようになった。でも自分ではいつも不安だったんだ。いつ昔みたいにもどるんだろうって。こんなに調子がいいことがいつまでも続くはずない。だからいつもカンタのそばにいたんだよ。カンタを見ていて思った。たとえ自分がぜんぜん冴《さ》えなくなっても、そんなに悪くないって。すこしだけ友達がいて、パパやママがいて、風が吹いて、夏がきて、ボロっちくてものり慣れた自転車があって……冴えなくてつまらない人生でも、生きているのはぜんぜん悪くない。みんなが離れていっても、カンタは残っていてくれる。そうしたら、ふたりで遊んで大人になればいいやって、いつも思っていた」

カンタはもうヨウジの声しかきこえなかった。つぎからつぎに涙が湧いてきてまえが見えなかったのだ。ヨウジが死んでからこんなに泣いたのは初めてだった。

「でも、そんなことはもうできないんだ。カンタの人生だから、ぼくはカンタが自由にすればいいと思う。きっとこっちでふたりで遊ぶのも楽しいよ。だけど、ぼくはカンタにぼくの夢をかなえてほしい」

カンタは必死でうなずいた。ヨウジの夢ならなにをしてもかなえてやりたかった。

「どうすればいいの、生き返ったりできる秘密のカードかなにかがあるの」

ヨウジは声をだして笑った。

「そんな都合のいいカードはないよ。ぼくの夢はもう話した。冴えなくても、なんでもいいからカンタにこれからたくさんのものを見て、経験して、大人になってほしい。それでいつまでもぼくを忘れないでいてほしい。カンタが今みたいに、心から死んでしまった誰かのことを思うとき、その誰かはこの世界とつながることができるんだ。カンタがぼくのことを思って新しい風景を見れば、カンタの目はぼくの目と同じになる。その景色をぼくも見ることができるんだよ。カンタが生きたままぼくになるなんてただの夢だけど、ぼくはカンタの一部になれるんだ。ふたりでいっしょに、もっともっと生きよう。世界の果てまでいって、最後の力の一滴がかれるまで生きよう。ぼくはカンタといつもいっしょにいる。カンタには自分自身とぼくのために生きてほしい。ぼくはカンタともっと生きたいよ」

カンタはもう我慢できなかった。声をあげて幼なじみに駆け寄り、全身をぶつけるように抱きしめた。耳元でヨウジの泣き声がきこえる。カンタは何度も繰り返した。

「わかった、わかったから、ヨウジはもう泣かないで」

そのままカンタは意識を失い、その場に倒れこんだ。そこはあの事件の日、ヨウジに突き飛ばされて倒れたのと同じ場所だった。カンタは背を丸めて横倒しになり、苦しい呼吸をした。だが、涙に濡れたまつげのした、口元にはかすかな笑みが浮かんでいた。

カンタは朝日のなか目覚めた。目を開くと歩道の敷石と緑の並木、それに雲のかけらがひとつも浮かんでいない空が見えた。嵐のあとの九月の青空が視界の半分を占め、一枚の板のように広がっていた。一時間も眠っていたはずはないのだが、カンタの気分はすっきりと爽快《そうかい》だった。カンタは立ちあがり、誰もいない早朝の校門を見た。ヨウジが手を振りながら、ひょっこりと角を曲がってあらわれそうな気がする。

ヨウジのあたたかな身体を抱きしめた感触は、てのひらにはっきりと残っていた。もうすこしがんばらなくちゃいけないなと、カンタは思った。だってヨウジと約束したのだ。

これから家に帰り、こっそりと部屋にもどらなければいけない。それに今日から霧沢小学校にもいこう。そのときは胸を張って、この校門をとおるのだ。

カンタにとってこの門は恐ろしいことのあった場所だけでなく、懐かしい友達ともう一度会えた場所だった。悪いほうの思い出にだけひきずられるわけにはいかなかった。だってヨウジと約束したのだ。冴えなくてもかまわない、最後の一滴がかれるまでいっしょに生きていくと。

カンタは乾きかけの服を肌にすこし重く感じながら、秋の空のした、両親が眠るわが家にむかって朝の通学路を歩き始めた。

青いエグジット

「九月なのになんなんだよ、この暑さは」

ひとりっ子の清人《きよと》が悪態をつくのを谷口謙太郎《たにぐちけんたろう》は黙ってきいていた。歩道の段差が近づいてきたので、ハンドルに全体重をかけ、まえの車輪を浮かせる。清人は十九歳で、すでに父親の体重を六キロうわまわっていた。なんとか衝撃を殺して歩道にのりあげる。うまくいった、これで息子に小言をいわれずに済む。

「ったく誰かエアコンつきの車椅子をつくってくれないかな」

横を歩く妻の真由子《まゆこ》が、清人をのぞきこんでいった。

「そうね。そんなのがあったら楽ね」

このカーボンファイバー製の車輪がついた車椅子だって中型バイクくらいの値段はするのだ。そんなものがあったとしても、とても自分の給料では手がだせないだろう。第一これだって、まだ届いてふた月とたっていない新品だ。謙太郎は汗をぬぐってJR高円寺駅北口のロータリーに目をやった。街全体がのんびりと力が抜けて見えるのは、夕方のせいもあるし、日曜日のせいもあるのだろう。自動車や通行人に舞いあげられたほこりが、金色に駅まえの風景を染めている。

謙太郎は家族三人でうまいと評判のラーメン屋にいった帰りだった。おかずが気にいらないと昼食をたべなかった清人が急にでかけたいといいだしたのだ。家族三人で街にでる。そんなことはめったにないので、真由子はいそいそと準備をして清人の気分が変わらないうちに自宅をでた。

行列のできるラーメン屋は、それなりにうまかった。濃厚な豚骨の出汁《だし》とやけに硬い太麵《ふとめん》。もう四十六歳になった謙太郎にはとてもスープはのみ切れなかったけれど、息子のように若い人間がこの味を好むのは理解できた。それでもあの澄んだ鶏がらの出汁に浮いた細麵はどこにいったのかと思う。謙太郎が子どものころは、シナソバといって百円玉を一枚にぎっておやつ代わりによくたべにいったものだ。

すべては時間のせいだと謙太郎は思った。時間はすべてのものを駄目にしてしまう。過敏すぎるところがあったが、素直で活発な男の子だった清人は、こんな性格になったうえ事故で片足を失った。妻の真由子は女らしい丸い心を削られて、おどおどと息子の機嫌ばかり取るようになってしまった。

謙太郎も例外ではない。丸の内にあった本社の総務部にいたのに、今は国立《くにたち》市の研修センターにかよわされている。この年で営業とコンピュータの操作を基礎からたたきこまれているのだ。そこで研修を受けている者はみなもう本社には帰れないことを知っていた。

謙太郎はそれでもあきらめることも、投げやりになることもなかった。気もちが切れてしまったら、それでおしまいだ。年収二年分というが、上積みされた退職金など、妻と足が不自由な長男を抱えていれば、すぐに底をついてしまうだろう。

もうこれから自分にいいことはやってこないのだ。そう覚悟を決めて謙太郎は八方ふさがりの人生を受けとめていた。また、そうなってみると耐えることのなかにも、しびれるようなおかしさもあるのだった。盛りをすぎて、くだり坂になった人生を生きるおかしさ。謙太郎の顔からは表情が消えていった。声をだして笑うことも、涙を流すこともなくなった。能面のような顔でリストラ研修を受け、家に帰って息子から能なしといわれても表情を変えることはない。

謙太郎に希望はなかった。ただどこまで自分が耐えられるのか、その底を見極めたい。人生が自分にどれほど悪意を見せるのか、最後まで見届けたい。マイナスばかりの決意が生きる支えになるなど、若かったころには想像さえできなかったことである。

謙太郎はゆっくりと息子の車椅子を押して、日曜夕方の商店街をすすんでいった。


「ねえ、あれ」

自分だけの考えにふけっていた謙太郎は、清人の声をきき逃した。清人はいきなりブレーキレバーを引く。車椅子は突然とまり、謙太郎は背もたれにつんのめりそうになった。そこは純情商店街と街灯からバナーがさがった高円寺の名物通りである。

清人はなにかを見つけたようだった。

「あれ、見て。もっとあのポスターに近づいてよ」

息子は自分をとうさんと呼ぶことはなかった。一度も仕事をしたことのない清人のきれいな指先を追って、謙太郎もゆっくりと視線を動かした。ようやくそれがなんなのか気づく。本屋の店先に貼ってあるおおきなポスターだった。ほぼ青一色だ。謙太郎はマンガ雑誌が積みあげられた本屋の店頭に車椅子を寄せていった。

「見てよ、これ」

めずらしく清人が興奮しているようだった。謙太郎は細かくポスターを観察した。青一色といっても画面は青の濃淡で上下に分かれていた。うえ半分は暗さを感じさせるほど濃厚な青で、した半分は白っぽくざらりとした粒子が目立つ水色だった。海底の白い砂が海の色に染まっているのだろう。かなりの水深のようで海面は映っていなかった。その青の濃淡の境目にひとりのダイバーがぽつりと浮かんでいる。背中に酸素ボンベが見えるから、あちらむきなのだろう。ダイバーから湧いた空気は、しだいに粒をおおきくしながら光りを放って上昇していく。

「わかる？　あのダイバー」

清人の興奮は続いていた。謙太郎もさらに顔を寄せた。そのダイバーはフィンをひとつしかつけていなかった。水中写真の光りの加減で潰《つぶ》れているのだろうか、そう思ってよく見る。だが、確かにダイバーは片足のようだった。それもなくしたのは息子と同じ左足だ。

清人がいった。

「あのブルーのあとはなんて読むんだ」

清人は高校受験を控えた中学三年生から引きこもりになり、結局高校にはいかなかった。ポスターの右上にある英文のコピーが読めないのだ。謙太郎は息子の機嫌をそこねないようにさりげなくいった。

「ブルー・エグジット」

真由子があわてていった。

「おとうさん、どういう意味」

自分でもどういう意味あいなのかよくわからずに、謙太郎はつぶやくようにいった。

「青い出口、青への出口、そんなことだと思う」

息子は車椅子のうえで冷ややかにいった。

「なんだよ、そんなこともわからないのか。一流大学卒業なんていっても、たいしたことないな」

そうだ、実際にたいしたことはなかった。もっともそれはその私立大学の教育システムのせいではなく、自分自身のふがいなさのせいかもしれない。冷たく清人はいった。

「あのポスターもらってきてよ」

また清人のわがままが始まった。引きこもりの三年間はほとんど自分の部屋をでることはなく、当然家族の会話はなかった。その後、事故で片足をなくしてからは、なにかと介護の必要もあり、清人は家のなかでは口をきくようになった。だが、たいていは皮肉なあてつけかわがままである。真由子は困った顔をした。

「でも、あれはお店の飾りにつかっているものだから」

謙太郎は妻にうなずいていった。

「いいんだ。いってくる。車椅子代わってくれ」

謙太郎はべたべたとマンガとアイドル写真集の告知が貼られたガラスの自動ドアを割って本屋にはいった。


レジでエプロンをした店員に声をかけた。女子大生のアルバイトのようだが、謙太郎があのポスターをもらえないかというと、はきはきと返事をした。

「あのポスターそのものは困りますけど、あれは今月号のダイビング雑誌の付録なんです」

「あっ、そうですか」

安堵《あんど》がおおきな声になってでてしまった。

「それじゃ、その雑誌をください」

店員がラックからもってきてくれた雑誌を買った。Ａ４サイズの大判でカラーページも多く、ずしりと重かったが千円はしなかった。代金を払うまえになかを確かめると、ずいぶん広告がのっている。あいだにはあのポスターがはさんであった。

謙太郎は紙袋を断って、ダイビング雑誌を手にさげ、外にでた。車椅子の清人にわたしてやる。

「おやじにしてはなかなかじゃん」

清人は謙太郎の目を見ずにぼそりといった。ひざのうえで付録を開く。フォームラバーのひじかけを越えて青い画面が広がった。隅には与那《よな》国島《ぐにじま》六畳《ろくじょう》ビーチとちいさな文字ではいっていた。キャプションはこう読める。

「陸上とは違い、海のなかは重力が浮力で相殺されるので、不自由な足でも立ちあがれるし、自分で好きなように移動可能です」

うつむいたままの頭を見ただけで、謙太郎は息子がくいいるようにその文章を読んでいるのがわかった。清人は顔をあげて謙太郎を見あげてきた。いつもは死んだように濁った息子の目に久々の光りが見える。清人はいった。

「ほんとかな」

謙太郎は背中を押さなかった。この子は絶対に誰かに示された方向には動かない。ひねくれ者なのだ。ぼんやりと無表情なままこたえる。

「さあ、どうかな」

真由子が横でやきもきしながら見ているのがわかった。

「でもダイビングって高いんでしょう。今のうちにそんなお金ないのよ」

妻の反対は絶妙なアシストだと謙太郎は思った。金のことを話すときの口癖が、また清人からでるだろう。

「うるせえな、障害者年金だってあるだろう、なあ、早くこの本屋にあるダイビングの本全部買ってきてくれよ」

そんなものは清人のわがままを三分の一もきいているあいだに毎月なくなってしまった。真由子はなにかいおうとしたが、謙太郎は視線で制した。でてきたばかりの店にまたもどっていく。

「いいな、全部だぞ、全部……」

息子の声は自動ドアが閉じると、そこで断ち切られてしまった。

その店には五冊のダイビング入門書と三冊の専門誌があった。ひざのうえに本の山をのせた清人は家への帰り道ごきげんのようだった。清人はゲームとハリウッド映画には夢中でも、本はほとんど読まなかった。ゲームの攻略本は正確には本といえないだろう。謙太郎は活字でいっぱいの本を開いている清人を見るだけで満足だった。

高円寺の駅はずれ、早稲田《わせだ》通りをわたった先に謙太郎の一戸建てはある。親からの援助で頭金をかなりの額払いこんでいたが、それでもまだ十三年分のローンが残っていた。十三年後自分は還暦まであと一年、当然今の会社を離れていることだろう。どのように生活費と住宅ローンを工面しているか予想もつかなかった。

清人は三十二歳になっているはずだ。この子は社会にでて働くこともなく、結婚もせずにそのときを迎えてしまうのだろうか。夫婦のあいだではこの先清人がどう変わるかわからないと話していたが、謙太郎は心のなかでその状況を受けいれる決心をしていた。この子はもう変わることはないだろう。引きこもりと左足の切断。もともと弱かった心がなんとかそれに耐えて命をつないでいるだけでよしとするしかない。

リヴィングルームのソファで日曜夕方のスポーツ番組を流し見ていると、内線電話が鳴った。真由子が取る。送話口を押さえていった。

「あなた、清人が話があるから部屋にこいって」

謙太郎は真由子に続いてゆっくりと二階にあがった。ふたつ鍵《かぎ》のついた部屋の扉をノックする。

「おとうさんもきたわよ」

なかから返事がなかったので、真由子はおそるおそる扉を開けた。以前、そうやって部屋にはいったときに、ガラスの塊の置物を投げられたことがあったのだ。だが、清人は上機嫌だった。学習机にむかい、プリンターに手を伸ばしている。机の正面には先ほどの青いポスターが貼ってあった。清人は椅子をまわして振りむいた。

「ダイビングをやってみたい。雑誌で見たけど九月から十一月くらいまでが、水もあったかくて海も空いてて、ダイビングのベストシーズンなんだって。いいだろ、ダイビング始めても」

そういってプリントアウトを一枚、謙太郎にさしだした。謙太郎は息子の目を見ずに受けとった。

「それ、ネットで調べたダイビングスクールの番号なんだ。電話かけて、片足がなくても講習を受けられるか、確かめてよ」

当然のように清人はいった。数字の列はぎっしりと三十行以上は並んでいた。真由子がいった。

「でもけっこうお金がかかるんでしょう」

清人はけろりという。

「最初に全部機材をそろえたほうが結局は安くつくんだって。五十万くらいじゃないか。ぼくは片足がないから、特別仕様でもうちょっとかかるかもしれないけど」

「そんな大金……」

真由子がなにかいおうとすると、清人は目をつりあげた。声は低く抑えられている。

「もう話は終わったんだよ。さっさと部屋からでていってくれ」

真由子は謙太郎を振りむいていった。

「でも、おとうさん」

謙太郎は黙って部屋をでると階段をおりていった。真由子は息子の部屋の扉を閉めると、謙太郎の背中にいった。

「いいんですか、あんなわがままいわせておいて」

わがままはいつものことではないか。謙太郎は腹のなかでそう思ったが、なにもいわなかった。リヴィングにもどり、電話を取る。夕食のまえに済ませておくには、すぐに取りかかったほうがいいだろう。

謙太郎は年季のはいったソファで背中を丸め、最初のダイビングスクールの番号を押した。

プリントアウトのうえには赤いボールペンのバツ印ばかり増えていった。どこも最初は愛想がいいのだが、清人の足が不自由なことを伝えるとたんに態度が冷淡になった。自分のスクールではかまわないけれど、いっしょに受講するほかの講習生に迷惑がかかるといけないから。断りの文句までみな同じだった。

だが、謙太郎はあきらめなかった。耐えることとねばること。それは中年期を迎え、第二の天性になろうとしている。謙太郎は黙々と十七番目の番号を押した。張りのある声がちいさなスピーカーからあふれだした。

「はい、ココナッツグローブです」

十数回繰り返したせいで滑らかになった口調で、清人の事情を説明した。相手はときどきあいづちをはさみながら、きちんと話をきいているようだった。最後に左足が大腿骨《だいたいこつ》のほぼ中央で切断されていること、事故のショックでひどくわがままで精神的に不安定になっていることを淡々と告げた。謙太郎は祈るような気もちで返事を待った。

「わかりました。来週の週末にいらしてください。講習の様子を見学してもらって、ご本人が本気でやってもいいというなら、主治医のかたの健康診断書をもらって、そのつぎの週から始めましょう」

謙太郎はソファのうえでまだ会ったことのない相手に頭をさげていた。

「ありがとうございます。十七本目の電話だったんです。ようやく見つかった」

「そうですか。たいへんでしたね。わたしはシニアインストラクターの笹岡俊介《ささおかしゅんすけ》といいます」

「谷口謙太郎です。よろしくお願いします」

電話を切るとすぐに内線のボタンを押した。しばらく呼びだし音が鳴って清人がでる。

謙太郎の声は抑えてもはずんでしまった。

「受けいれてくれるスクールがあったぞ。おかげで二十本近く電話をかけたよ」

電話の背後にはシンセサイザーのファンファーレが流れていた。新しいゲームのオープニング場面のようである。清人は鼻でこたえた。

「ふーん」

礼もいわずにぷちりと通話が切れた。謙太郎は淋《さび》しく笑ってあきらめた。ゴルフはしないのだが、日曜日のゴルフ中継にチャンネルをあわせる。優勝争いには興味はなかった。夏の終わりの芝の緑と広い空を眺めていたかったのである。

つぎの土曜日、谷口家の三人はリフトつきのミニヴァンで三鷹《みたか》にでかけることになった。清人は思ったとおりでかけるまえに、もうダイビングには興味がないとぐずったが、謙太郎はなんとか説き伏せていた。嫌ならやらなければいい。今日はただの見学で、講習を受けることはないのだ。第一足が不自由でも快く受けいれてくれたスクールに失礼じゃないか。すると清人はいった。

「どうせ、金儲《かねもう》けでやってるだけだろう」

謙太郎は一瞬心のなかでぐらりと動くものを感じたが、なんとか我慢した。ここで口げんかになれば清人は部屋にこもるだけだろう。感情がはいらないようにぼそりという。

「いいじゃないか。金儲けのチャンスをやれば。どうせ年金で払うんだ。天下のまわりものだろう」

清人はしぶしぶ外出の用意をした。リフトをつかって階段をおりてくる。二階建ての一軒家をバリアフリーに改築し、リフトつきのヴァンに買い替えるには預金の半分を切り崩さねばならなかった。清人はすべてを当然のこととして受けとるだけだ。謙太郎はただじっと立ち尽くし、玄関で待っていた。真由子は気が気ではないらしい。階段をじっと見あげている。ちいさな声で夫にいった。

「もうやめておいたほうがいいんじゃありませんか。大金がかかるというし、うちにはほんとうにそんな余裕はないですよ」

謙太郎は玄関のたたきに目を伏せていった。

「夏のボーナスの残りをつかえばいい。左足をなくしてから、清人が自分からなにかをしたいといったのは初めてだ。駄目かもしれないが、やらせてみよう」

髪をムースで逆立てた清人がやってきた。黙って謙太郎は車椅子を駐車場まで押し、クルマのリフトにのせてやる。清人はそのあいだもふて腐れたように黙ったままだった。

三鷹駅からかなり離れた住宅街にその建物はあった。意外なほどのおおきさのビルで、一階の窓のむこうにプールの青い水面が揺れていた。案内表示で確かめると大手資本のスポーツクラブが三階までを占めていて、その一角にダイビングスクールが併設されているようだ。受付には日焼けした健康的な女性が座っている。清人は若い女性を意識して硬くなっているようだった。謙太郎はインストラクターの笹岡を呼んでもらった。

ガラス越しに水面を眺めながら、三人は待った。謙太郎は緊張している息子にいった。

「どうだ。ここでもあのポスターに負けないくらい水は青いな」

潜水訓練用の深いプールなのだろう。うえからのぞいただけでは底が見えなかった。清人は自分のつま先ばかり見ていた。初めての場所にいったときのいつもの反応である。

「谷口さん、よくきてくれました」

広いロビーをウエットスーツを着た男が歩いてきた。笹岡はよく日焼けした三十代後半で、手にしたクリップボードにちらりと目を落としていった。

「きみが清人くんか、ようこそココナッツグローブへ。車椅子のダイバーはうちではきみが二十二人目になる。海のなかは素晴らしいぞ、きみもがんばってみるか」

清人は気おされて返事ができないようだった。引きこもりの原因にもなった対人恐怖は今も治まっていない。謙太郎がとりなすようにいった。

「そんなにたくさんの足の不自由な人が、ダイビングをやっているんですか」

清人のダイビング入門書に残らず目をとおした謙太郎でも意外だった。笹岡は笑ってうなずいた。

「したは小学生からうえは八十代のお年寄り、両足のない人も脳性麻痺《まひ》で全身のほとんどが動かない人でも、ちゃんとダイビングは楽しめますよ。海のなかは地上よりずっとバリアフリーなんです。それにはきちんと講習を受けて、ライセンスを取る必要がありますが。まじめにやれば、誰でも二週間で取れるカードです」

笹岡は先に立って、スクールを案内してくれた。一階にはダイビングショップと四方を手すりで囲まれたプール、それに学科教習用の教室があった。どこもできたての新しさで、プールのカルキのにおいがした。エレベーターで地下におりる。分厚いアクリルの壁のむこうにプールの断面が見えた。深さは五、六メートルはあるだろうか。水面で照明の光りが青く揺れていた。

「もうすぐプール講習が始まります。ここでゆっくり見学していってください」

笹岡はそういい残すと、うえにあがってしまった。観葉植物のおいてある隅のベンチに謙太郎と真由子は座った。まえにいた清人が自分で車椅子を押しながら、ゆっくりとプールにむかった。ぎりぎりまで車輪を寄せて、アクリルの壁に近づいていく。車椅子からうえの水面を見あげた。謙太郎はちいさな声で真由子にいった。

「あの横顔なんか、三歳のころとほとんど変わらないな」

それは無邪気に好奇心をむきだした横顔だった。

「ほんとに。図体《ずうたい》ばかりおおきくなって、でも臆病《おくびょう》なところも調子にのりやすいところも昔のままねえ」

謙太郎は妻の顔を見た。清人はさして成長していなくても、おれたちは年を取ったと思った。顔だけでなく首筋にまでこれほどしわがあっただろうか。だが、真由子の目は出会ったときの若さのままみずみずしい光りを放っている。

それから一時間ほど、清人は耳抜きやマスククリアなど初歩的なスキルを練習する光景を透明な壁越しに熱心に見つめていた。笹岡はむこう側から清人にOKのハンドシグナルを送ったりする。めずらしく清人も笑ってシグナルを返した。

そんな息子を謙太郎と真由子はすこし離れたベンチから、心配そうに見守っていた。


翌週末から二日間の学科とプール講習が始まった。ダイビング機材一式をそろえたので、謙太郎は新たなローンを組まなければならなかった。清人はスクールが始まるまえから熱心に入門書を読みこみ、中性浮力や肺のトリミング、オクトパスブリージングなどといった専門用語が日常会話でも飛び交うようになった。

学科講習のあいだ、謙太郎と真由子は外の廊下でじっと待った。清人はほとんど頭のなかにはいっている知識にも退屈はしなかったようだ。教室からでてくる目が中学のころとは違っていた。謙太郎はそれだけでも高いローンを組んだかいがあると思った。

プール講習にも清人は積極的に取り組んだ。神経質なほど慎重に機材のセッティングを確認し、笹岡に身体を抱えられて水中にあるステップからゆっくりと潜降していく。一度だけマスククリアが上手にできずにパニック状態になったが、水中での基本的なスキルは順調にクリアしていった。ただひとつ苦手なのが片足でのフィンキックだった。身体が回転するばかりでまえにすすむ推進力が得られないのだ。

だが、最後におこなった中性浮力の練習で清人は見事な感覚の冴《さ》えを見せた。肺のなかの空気を微調整して、水中で浮きも沈みもしない無重力状態をつくる練習である。清人はたった一回でこれをマスターした。両手をおおきく広げ、フィンのついた足をだらりと伸ばして、青い水のなか風にのる鳥のようにゆったりと浮かんでいる。清人は壁のむこうの両親に気づいたようだ。軽々と浮かびながら、ふたりに万事順調という意味のハンドシグナルを送った。

謙太郎はただうなずいただけで、とりたてて喜びの感情は見せなかった。あいかわらず能面のような顔をしたまま、OKシグナルを返してやる。真由子が涙ぐんでいたのは、マスクをつけた息子にはわかったのだろうか。

つぎの週末の海洋講習はあいにくの天気になった。九月も終わりの曇り空で、風は冷えこんでいた。なんとか雨が降らずにもちそうなのが、唯一の救いである。

謙太郎は早朝に高円寺をでて三時間かけて高速道路をのりつぎ、伊豆《いず》海洋公園にやってきた。他の講習生にはスクールの小型バスがあるのだが、清人の車椅子と宿泊荷物を考えるとクルマをだしたほうが正解だった。海洋講習は二日間かけて、四本のダイビングをおこなうことになっている。

伊豆海洋公園は南国のリゾートホテルのように豪華な施設だった。植樹されたヤシの木のあいだにコテージやパラソルつきのベンチが並び、階段状にビーチにむかって低くなっていく。海水を満たした五十メートルプールもあった。

講習生は持参した昼食を終えると、更衣室に移動していった。謙太郎の代わりに、いっしょに講習を受けている二十代の会社員が、清人の車椅子を押していってくれた。息子たちがいってしまうと、謙太郎と真由子には待つことしかできなかった。灰色の海を見おろす木製ベンチに並んで腰かけ、ふたりは冷たい海風に髪を乱していた。真由子はいった。

「三人で旅行して、こんなに落ち着いているなんて、清人が小学校の低学年のころ以来じゃないかしら」

そうかもしれないと謙太郎は思った。十歳をすぎると清人はむきだしの神経をもった過敏な少年になってしまった。無表情に返す。

「たまたまダイビングに熱中しているだけで、これが冷めたら、あの子はまた昔どおりにもどるのかもしれない。あまり期待しないほうがいい」

「そうね」

真由子は乱れた髪を押さえた。

「でも、今日はきてよかった。久しぶりに海も見られたし、清人も上機嫌だから。この一年ほんとうにいろいろなことがあったから」

「そうだな」

謙太郎はそうこたえただけだった。ひとことでそういうしかないほど、いろいろなことがあったのだ。清人の事故と左足切断、自分の研修センター送り。家のなかの空気は暗く重苦しく、ふさぎこむばかりの日が続いていた。

謙太郎は空を見あげた。厚い雲で一面灰色に染まった空だった。伊豆の海も空の暗さを映して、濁ったような青である。この風景のようにうちの家族の残り時間も、灰色のまますぎていくのだろう。土砂降りの雨にならないだけ、まだましじゃないか。心のなかでそう力強くいい切って、謙太郎はベンチから立ちあがった。肌寒いのだろうか、ひざにバスタオルをのせた妻にいった。

「なにかあたたかいものでも買ってくる。カフェオレでいいか」

すこしひとりになりたくて、謙太郎はポケットに手をいれて、ゆるやかな坂道を売店目指して歩き始めた。


エントリー口はごろごろとこぶし大の石が転がる浜だった。そこにボンベを背負い、手にフィンをさげた講習生たちが集まっている。波はおだやかで、ほとんど波音はきこえなかった。ウエットスーツを着た清人は、笹岡に抱きかかえられてやってきた。この足場の悪さではとても車椅子ははいれなかった。笹岡は清人をビーチに座らせるといった。

「いやー、清人くんは重いなあ。今度からエントリーがコンクリートで固められてるほうをつかおう」

そこで笹岡は全員を集めて、機材の最終確認をおこなった。アシスタントインストラクターがつぎつぎと講習生の機材をチェックするなか、笹岡は清人にかかりきりになっている。

離れて見ていた謙太郎には頭がさがる思いだった。どんなものでもしょせん金儲《かねもう》けにすぎない。そういう清人は正しいが、同時に誰ひとり金のためだけに働く人間はいない。こちらもまた正しい。正しいことがいくつもあり、それがときにぶつかりながら、世のなかがまわっていく。そういう人の世のおもしろさを、清人がわかってくれたら。謙太郎は感情を殺して、初めての海にむかう長男を見つめていた。

清人は笹岡に支えられゆっくりと深さを増していくビーチを沖にむかった。腰のあたりまで海面がきたところで、マスクをつけたままこちらを振りむいた。軽く手を振る。真由子はちぎれるように手を振り返した。

そこから急に海底は深度を増しているようだった。笹岡と清人の頭はゆったりとうねる水面に消えていった。あとにはいくつか空気の粒があがっているだけである。真由子がいった。

「いっちゃったわねえ」

謙太郎はうなずいた。しばらく黙ってからいう。

「いつか、ずいぶん先だけど、わたしたちがいなくなって、あの子はひとりで生きていかなければならなくなる。この海と同じだな。わたしたちは陸に残り、あの子は水のなかにいく。手を貸すことも、見ていてやることもできなくなるんだな」

そのときはっきりと謙太郎にはわかった。片足をなくした清人は、自分にとってお荷物などではなかった。わがままと皮肉しか口にしない息子だが、従業員に人並みの扱いをしないリストラ研修に耐える力がだせたのは、なにより清人のおかげだった。清人がいなければ、自分の心はとうに折れていただろう。

謙太郎はまた黙りこみ、清人のいない灰色の海を見つめていた。

海に浮かぶ泡がしだいにおおきくなって、清人が水面から頭をだしたのは三十分後のことである。笹岡もいっしょだった。日に焼けたインストラクターは、海から高く手をあげて謙太郎にＯＫシグナルを送った。立ちあがると遠浅の海をもどってくる。清人の表情は疲労と興奮で、なにかに憑《つ》かれたように輝いていた。

清人を抱いたまま、笹岡は浜にあがり謙太郎のところまでやってきた。

「おめでとうございます。ダイビング中の清人くんは、なかなかたのもしかったですよ。

それから、なにかおふたりに話があるそうです」

そういって講習生から離れた岩棚にむかい、清人をそこに座らせた。謙太郎と真由子も近くに腰をおろした。笹岡は目礼すると講習生たちのところにもどっていった。清人が目を伏せたままウエットスーツのポケットを探った。なにかつかみだして謙太郎にさしだした。手を開くと海水でふやけたてのひらに、まだ濡《ぬ》れ光る白い巻貝がふたつのっていた。

「これ、おみやげ」

ぶっきらぼうにそういうと、清人は深呼吸した。視線を落としたまま早口にいう。

「笹岡さんと約束したから、ちゃんというよ。今度のことは、どうもありがとう。いつもいつも迷惑をかけちゃってごめんなさい。それは足がなくなるずっとまえから」

そこまでいうと覚悟が決まったようだった。清人は目をあげて、謙太郎の目をじっと見つめてきた。

「あの日のこと覚えてる」

謙太郎は首を横に振った。

「三年間も部屋にこもっていたぼくが、いきなり外出した日だよ」

真由子が息をつめているのが、謙太郎にはわかった。それはあの事故のあった日だ。清人は淡々といった。

「あれは事故なんかじゃなかった。あの日新宿の西口で買いものをした帰り、突然ぼくなんか生きていてもしかたないと思ったんだ。あれくらいの外出で歩道でしゃがみこんじゃうくらい疲れちゃうし、またつぎに外の世界を見るまで三年かかるのかなあって。はっきりとは覚えていないけど、新宿駅のホームで倒れたのは誰かに押されたからじゃなく、自分で倒れたんだと思う。疲れた、もう終わりにしたいって」

真由子は涙を流していたが、謙太郎は無表情に清人を見つめるだけだった。清人は病院で意識を回復すると、混雑したホームで誰かとぶつかり足を滑らせたといい張った。何人かいた目撃者の証言もあやふやで、結局それは自殺未遂ではなく、事故ということで最終的には処理されていた。清人はなにかを吐きもどすようにいった。

「それでも左足をなくしただけでまだ生きていた。どこまでついてないのかって思った。ぼくはだめな人間で、まともに死ぬことさえできなかった。生きていてよかったと思ったことは、この四年間一度もなかったよ」

謙太郎は清人のてのひらの白い貝を取った。ひとつ真由子にわたしてやる。笹岡は講習生に休息を告げたようだ。生徒たちはフィンから滴を垂らして、塩水を流すシャワーにむかった。謙太郎はいった。

「どうして、おみやげなんか拾おうって思ったんだ」

清人は濡れた髪をかきあげて、灰色に揺れる海を見た。

「笹岡さんのいうとおりだった。海のなかは素晴らしくきれいだったんだよ。そうしたら、これを見ることができないとうさんとかあさんの顔が浮かんだ。見せてあげることができないなら、なにかおみやげをもっていこうって。なにかないか、ぼくは海の底で探しまわった。だけど、そんな貝しかなかったんだ」

誰もが夢中になる最初のダイビングで、この子はわたしたちのことを思い、懸命に海底を探ってくれた。謙太郎はその気もちだけで十分だった。だが、感情をなんとか押し殺す。清人は十九歳になっても、むきだしの感情を怖がる子どもだった。

「そうか。ありがとう」

清人は照れたように目を細めた。

「いいよ。ひとつ二十五万としたら、高い買いものだよ。あのね、エグジットってダイビング用語で海から陸にあがることなんだ。ダイビングの最後だけど、意外と事故を起こしやすいときなんだって。ひとつの世界から別な世界に移る。そういうのはいつだって危ないときなんだね」

謙太郎はじっと波の音と清人の声に耳を澄ませていた。真由子は謙太郎の手を強くにぎっている。海風が強く吹いて三人の髪を乱した。清人はいう。

「あのポスターは不思議だった。海のなかに青い出口があるなんてさ。でも、今は違う。ぼくも出口を見つけたような気がするんだ。青い扉がほんのすこしだけ開いたのかなって。まだまだ外の世界が怖くて悲鳴がでちゃいそうだけど、これからはなんとか外の世界にでていくようにするよ。手始めはこのダイビングスクールから」

清人は空っぽになったてのひらをこすって、海底の砂を落とした。目をあげて謙太郎と真由子に笑いかけてくる。

「信じられる？　ぼくに二週間で友達ができたんだ。自分で外にいくのっておもしろいね。この四年間友達どころか、顔見知りだってひとりもできなかったのにさ」

そうかと無表情なまま謙太郎はこたえた。海のなかにはどこかにつうじる青い出口があるのか。謙太郎はぼそりと清人にいった。

「海のなかって、そんなにいいか」

清人はうなずいて、潮風を胸いっぱいに吸いこんだ。

「うん、すごいよ。それにほんとうに片足でもほかの人と同じように動けるんだ」

謙太郎は思い切っていった。

「そうか、それじゃわたしもちょっとやってみるかな」

清人が叫ぶようにいった。

「とうさんがダイビングをやるの」

謙太郎の顔は能面のように動かない。にこりともせずに愉快そうに笑う息子にいった。

「そうだ。もう一回ローンを組んで、来週から始める。エントリーでいつまでも笹岡さんに迷惑はかけられないからな」

清人は得意の憎まれ口をたたいた。

「やるじゃん、会社を首になりそうになってる割にはさ」

「清人」

真由子が叱ったが、謙太郎は相手にしなかった。来週から始めたって、すぐに息子には追いついてみせる。すでに謙太郎の頭のなかにはダイビングの基礎知識がひととおり詰めこまれているのだ。

謙太郎はそのなかのひとつの専門用語を思いだしていた。それはバディという言葉である。ともにダイビングをする仲間のことで、海中では文字どおり信頼しあって、命を預けあうことになるパートナーだった。どちらか一方のエアが足りなくなれば、なにより大切な空気さえ分けあうのだ。

いつか自分は清人のほんもののバディになれるのだろうか。互いに助けあいながら、海のなかにあるという青い出口を抜けられる日がやってくるのだろうか。謙太郎は親指の先ほどのちいさな白い巻貝を見た。それが目のなかで揺れて落ちそうになったので、あわてて手をうしろにつき、空を見あげる。目に涙がいっぱいにたまっても、謙太郎の無表情は崩れることがなかった。

雲はしだいに海風に流されていたようだ。遠く伊豆の山並みのむこうに、見つめてはいられないほどまぶしい青空がすこしだけのぞいていた。ダイビングには絶好のシーズンだという九月の空だ。

天国のベル

西本雄太《にしもとゆうた》の耳がきこえなくなったのは、四月なかばのことだった。ある朝、母親の尚美《なおみ》のベッドサイドに小学校四年生になる長男が立っていたのである。雄太は尚美のパジャマの袖《そで》を引いていった。

「ママ、耳がおかしくなった」

寝ぼけているのだろうか。声の調子が変だった。抑揚がまったく感じられず、音がずれてきこえる。壁の時計を見るとまだ五時半である。

「朝早くからふざけるのはよしなさい。ママは疲れてるから、もうすこし寝かせて」

雄太はきょとんとした表情で、尚美を見つめるだけだった。お気にいりのパジャマの胸には、空飛ぶ小象の耳が翼のように風になびいている。雄太は不安そうな顔でぽつりと立っていた。コンピュータの合成音声のようにフラットな声でいう。

「耳がぜんぜんきこえない。ママがなにをいってるかわからないよ」

冗談ではなさそうだった。ひとりでは広すぎるダブルベッドで上半身を起こして、長男の薄い肩に両手をかけた。耳元に口を寄せて叫ぶ。

「雄太、雄太、ママの声がほんとうにきこえないの」

十歳の男の子は眉《まゆ》をひそめていった。

「なにをいってるか、わからない。ずっとキーンっていう高い音がしてるけど、あとの音はちいさくぐしゃぐしゃに固まって、ぜんぜんわからない」

尚美はくずかごから紙切れを拾い、化粧用のペンシルで書きなぐった。

「いつから耳がおかしくなったの」

雄太の眼前に突きだしてみせる。

「三日くらいまえから、なんだか耳の奥がもやもやしてたけど、きこえなくなったのは今朝目が覚めてから」

尚美は耳の病気など、中耳炎くらいしか知らなかった。すぐに医者に診せたほうがいいだろう。雄太の肩は目に見えて震えだした。ききとれないほどかすかな声でいう。

「ぼく、このままずっと耳がきこえなくなったら、どうしたらいいの」

尚美は息子の身体を思い切り抱きしめた。涙が浮かんできてしまう。なぜ、うちの家族にばかりこうして不幸が起こるのだろうか。二年まえの夫の事故といい、その後の口にしたくもないドタバタといい、雄太の耳の異常といい、尚美の神経を削ることばかりだった。抱きしめた子どもの身体は、予期せぬほどの熱をもっていて、鼓動は大人よりずっと速かった。雄太は震えながらいった。

「ママ、怖いよ」

尚美は長男の首にまわした指先で涙をぬぐった。自分がパニックに陥ったところを子どもに見せるわけにはいかなかった。この子はただでさえ、事故で父親をなくしているのだ。母親の自分が心の支えになっているはずだ。弱みを見せずに百パーセント明るく強い母の役を演じること。それは尚美がこの二年間自分自身に課した仕事だった。

涙がひくと、意志の力で笑顔をつくった。深呼吸をひとつして、雄太を抱く手をゆるめる。アイブロウで紙の余白に元気に書いた。

「だいじょうぶ。ママがきっと雄太の耳を治してあげる。今日は午前中会社を休むから、いっしょに病院にいこう」

そのとき寝室の戸口から声がした。

「おにいちゃん、ずるい。また、ひとりでママのところで寝て」

妹の美知佳《みちか》だった。八歳でも女の子は女の子で、とても嫉妬《しっと》深いのだ。尚美はいった。

「違うの。雄太は朝起きたら、耳の調子がおかしかったんだって。病気かもしれないの」

美知佳は口をとがらせた。

「えー、ほんとに。ママのベッドで寝ていいなら、美知佳も病気になりたい」

尚美は時計を見あげた。間もなく朝の六時になる。まだすこし早いが、もう寝てもいられないだろう。

「みんな起きちゃったから、朝ごはんにしようか。今日は時間があるから、ちゃんとつくってあげる。なにがいい、雄太、美知佳」

八歳の妹は裾《すそ》にフリルがついたパジャマでちいさくジャンプした。

「ラピュタの目玉焼きのせトースト」

パズーとシータが半分ずつ分けあってたべる宮崎アニメの場面を思いだした。ベッドからおりて、尚美はいう。

「ああ、あれはおいしそうだよね。ケチャップもかけてあげる。雄太は」

雄太はベッドサイドで固まったままだった。美知佳の声にも、尚美の呼びかけにもまったく応答しない。この子はほんとうに耳がきこえなくなっているのだ。あたたかな春の朝だったが、尚美は背中に震えを感じながらキッチンにむかった。


勤め先の近くにある総合病院に予約をいれて、尚美は子どもたちと家をでた。美知佳と小学校の校門で別れ、車をとめる。いつもなら大好きなはずのタクシーにのっても、雄太のぼんやりした表情は変わらなかった。窓の外では陽光のなか、街路樹の枝先をやわらかな緑が無数にくるんでいた。新しい命の季節なのだ。夫の晴彦《はるひこ》をなくしてから二回目の春。あの事故のときもこんな明るい陽気だった。尚美はガラスのむこうをとおりすぎていく春先の街を見送りながら、その皮肉さを冷笑せずにはいられなかった。

ホテルのように豪華なエントランスには、朝一番から病人があふれていた。三階にある耳鼻科の受付にいくと、すでに数十人が壁沿いのベンチに座って順番を待っていた。耳の病気で困っている患者が、東京にはこれほどいるのだ。

あいているベンチに座ると仕事の書類を読み始めた。技術系の海外文書の翻訳が、尚美の主な業務である。尚美は大学のドイツ語科卒業で、英語と独語に堪能《たんのう》だった。美知佳にも雄太にも、会社を辞めてもきちんとたべていけるだけの専門技能を身につけるように、尚美は普段からいいきかせていた。この世界で頼りになるのは、結局会社でも、結婚相手でもない。会社は潰《つぶ》れることがあるし、リストラもある。結婚相手は離婚することもあるし、晴彦のように不倫の末に心中に近い形で事故死することもある。最後に頼りになるのは、自分自身しかないのだ。

尚美はもともと完全主義者のところがあったが、晴彦の死からますます人に頼ることはすくなくなっていた。誰かに弱みを見せられるような、生やさしい状況にはなかったのである。病院の館内放送が呼んでいた。

「二十四番、西本さん」

すでに一時間以上がたっている。尚美が立ちあがっても、雄太は少年むけのファンタジーを読んでいた。丸くやわらかなひざに手をおいた。不思議そうな表情で見あげてくる。そのうち手話を覚えなければいけなくなるのだろうか。尚美は明るい廊下の先にある診察室をひとさし指で示した。

医者はこれでだいじょうぶだろうかというくらい若い小太りの男性だった。話しかたが舌足らずで、どこかオタクのにおいがする。尚美が症状を説明すると、にこにこと笑いながら、雄太の耳のなかをペンライトで照らしのぞきこむ。

「ふーん、突発性難聴ですか。すぐに病院にこられてよかったですね。放っておくと、予後があまりよくないんですよね」

尚美は驚いていった。

「そうなんですか」

医者はカルテにボールペンを走らせていう。

「はあ、二週間が期限ですね。でも突発性の場合は、だいたい一側性のことが多くて、雄太くんみたいに両耳にでることはめずらしいんです。見たところ外耳、中耳には炎症なんかはありませんね。ちょっとレントゲン撮りましょう」

九十分近く待って、ほんの数分で診察は終わった。看護師にレントゲン室までの案内図をわたされ、おおきな建物のなかを雄太の手をひいて歩いていった。ここでも部屋の外で三十分待ち、数分で撮影は終わった。帰りにフィルムをわたされ、耳鼻科にもどるようにいわれる。

その途中で尚美は大判の封筒から白黒フィルムをだして眺めてみた。耳のレントゲン写真というのは、どちらがうえかさえわからないものだった。昼休みのまえにぎりぎりで間にあって、先ほどの医師にフィルムをわたした。小太りの男はおかしな顔をしていった。

「うーん、内耳にも聴神経にもおかしなところはないみたいだなあ。変だなあ。今日の午後は時間ありますか」

ないと叫びたかったが、尚美は自分を抑えていった。

「なんとかつくります」

午後の分は今夜自宅にもち帰って、しあげればいいだろう。嫌いだったが、夕食は久しぶりのコンビニ弁当になりそうだ。子どもはなぜあんなものばかりよろこぶのだろうか。

医者はあっさりといった。

「じゃあ、もうちょっと検査しましょう」

その日の午後、さらに精密検査は続けられた。CTで脳の断層写真を撮影する。医師が疑っていたのは、脳の内部になんらかの原因があって、聴覚野が損傷を受けていることだった。コンマ一ミリの分解能がある最新型の医療機器でも異変は見つからない。午後遅く医師がだした結論は、意外なものだった。

「雄太くんの場合、難聴の原因は身体にではなく、心にあるのかもしれません。さらに検査を続けるのもいいんですけど、うちより心療内科にいってみませんか」

心療内科、心に原因という言葉に、尚美は目がまわりそうになった。雄太は内気な子だったが、妹の美知佳と違って、いわれたことは必ずやりとげるまじめさがあった。三人家族で、いざというとき頼りになるのは、いつも雄太だったのである。

電線にとまる小鳥のように、診察用の丸イスにちいさくなる雄太を見つめた。眉《まゆ》のすこしうえで切りそろえた髪には、つややかに天使の輪が浮かんでいる。男の子はぼんやりと宙に視線を泳がせていた。大人たちの言葉がまったく届かないのだろう。

この子の心のなかに、外の世界の音をすべて受けつけなくなるほどの傷や痛みがあるのだろうか。尚美は十歳の息子の肩にそっと手をおいた。


翌日の午前中にふたりがでむいたのは、地元の目白《めじろ》にある心療内科だった。屋敷が並ぶ一角にコンクリート打ち放しのモダンな建物が緑に沈んでいた。このあたりは都心としては意外なほど、木々が多いのだ。尚美の住むマンションのバルコニーには風にのってカマキリが飛んできたこともある。

診療室というよりもおしゃれなレストランの個室を思わせる部屋のなか、サマーウールのスーツを着こなした女性医師があっさりといった。

「そうですか。では雄太くんの耳がきこえなくなったのは、身体表現性障害かもしれませんね」

尚美には意味のわからない言葉だった。なぜ医者は漢字を七文字も続ける単語を平気でつかうのだろうか。自分が翻訳するなら、必ず赤ペンをいれるところだ。パンツの足を組んで医師はいう。

「昔はヒステリーと呼ばれていました。急に目が見えなくなったり、手足の感覚がなくなったり、特定の部位が動かなくなったり、症状はさまざまです。なんらかの原因で強いストレスがかかって、心が悲鳴をあげる。それに身体が反応するんです。雄太くんの場合は、心因性難聴でしょう。これは特別な病気ではありませんし、よくあることなんです。落ち着いてゆっくり治していきましょうね」

昨日のオタク医師よりも、こちらの内科医のほうがずっと頼りになりそうだった。雄太はひとりがけの布張りソファに座っている。尚美はいった。

「じゃあ、雄太の耳はまたきこえるようになるんですね」

女医は男の子のほうを見ていった。

「ええ、たぶん。そのためにはストレスの原因を理解しなければなりません。雄太くんの生活で最近なにか変わったことはありませんでしたか。転校とか、クラス替えとか、家族構成とか、なんでもいいのですが」

尚美は順を追って考えていった。だが、クラス替えは去年すんでいるし、転校もしていない。父親を失って二年になるが、それも最近といえるのだろうか。

「心あたりがありません。この子の父親は交通事故でなくなっているんですが、それはもう二年ほどまえのことになります」

医師はメモを取り始めた。

「家族構成は」

「わたしと雄太、それに妹の美知佳の三人だけです」

医師はちらりと尚美に目をあげた。

「働いていらっしゃる」

「ええ」

「子どもたちとすごす時間はどうですか。多いほうでしょうか」

残業はほとんどせずに、仕事は自宅にもち帰ることが多かった。リヴィングのテーブルが作業机になるのだ。子どもたちは毎晩同じテーブルで絵を描いたり、テレビを見たりしていた。

「普通の母親にくらべたらすくないかもしれないですが、決して短くはないと思います」

女医は一瞬だけほほえんでいった。

「まだお若いですね。ボーイフレンドなどは」

新しい男性の出現が、子どもたちの負担になったとでも考えているのだろうか。尚美は女医と同じヒットエンドランの笑顔を見せていった。

「夫が交通事故で死んだとき、同乗していたのは不倫相手の若い女性でした。それからわたしは、特定の異性をつくったことも、つくる気もありません」

女医は目を細めてうなずいた。仕事の顔からただの女性の顔にもどっていう。

「男って、ねえ」

「ええ、ほんとに」

不思議そうな表情で、雄太はふたりの女を交互に見つめていた。すくなくとも今だけは、この子の耳がきこえなくてよかった。最後に女医はいった。

「なにかとたいへんでしょうが、雄太くんにこれ以上のストレスを加えないようにしてください。耳がきこえなくなって、一番困って、ショックを受けているのは雄太くんです。焦らずに、ここは人生のひと休みのつもりで、じっくり治していきましょうね」

医師は雄太の肩に両手をおいた。きこえないはずの耳にゆっくりと話しかける。

「雄太くん、あなたの耳がきこえなくなったのは、ぜんぜんおかしなことじゃないよ。今までいろいろつらいことがあったと思うけど、それをきちんと見直すチャンスだと思ってね。わたしもおかあさんも、みんなあなたの味方だからね」

前日から雄太の難聴に苦しんできた尚美には、涙がでるほどうれしい言葉だった。医師が口を閉じて、語りかけが終わったのがわかったらしい。雄太は相手の目を見たまま、ゆっくりとうなずいてみせた。そのとき診療室の外で電話のベルが鳴った。雄太はベルの音に反応して、さっと扉を振りむいた。医師はいった。

「雄太くん、今のベルはきこえたの」

雄太から反応はなかった。四回目を数える電子音に振りむいたままである。尚美はあわてて、携帯型のホワイトボードにマーカーを走らせた。

［電話のベルはきこえるの］

雄太に見せると、男の子はうなずいた。単調な声でいう。

「うん。なぜだかわからないけど、電話の音だけはきこえる。あとはざーっていう大雨みたいな音にまぎれてなにもきこえないんだ」

うーんといって医師はカルテになにか書きこんでいた。尚美はいった。

「こういう症状も心因性の難聴ではよくあるんですか」

医師は手を休めずに返した。

「あとで症例を調べてみるけれど、すくなくともわたしは初めて」

誰かが受付の電話をとったようだった。雄太はまた正面にむき直り、医師と尚美を交互に見ている。尚美は長男の肩に手をおいていった。

「さあ、いきましょう」

待合室の床は白い石張りで、患者同士の視線があわないようにあちこちに間仕切りがしてあった。尚美たちといれ代りに扉にむかってきたのは、同年輩の母親と娘のふたり連れだった。尚美は会釈してとおりすぎた。雄太もいつものように母のまねをした。女が場違いに派手な声をあげる。スカーフ柄のシルクシャツに純白のサブリナパンツ。よく見れば心療内科にそぐわないファッションである。

「あら、ひかるちゃん、あの子は礼儀ただしくて立派ね。ご挨拶《あいさつ》は」

きっと親の趣味なのだろう。長髪を縦ロールにした美少女が、こくりとあごの先を沈めた。雄太と同じ静まり返った空気を感じさせる子どもだった。この子はどんな症状でここにきているのだろうか。尚美の気もちは暗く乾いていった。

待合室をでるとき背中に視線を感じて振りむく。診療室の扉のまえにはあの女の子が母親に手をひかれて立っていた。こちらのほうをずっと見つめている。雄太に視線をむけると、雄太も振り返って少女のほうを見ていた。おかしな子どもたち。

尚美はせっかく午前中を休みにしたのだから、近くのスーパーで雄太の好物を買って帰ることにした。この子はちいさな心のなかにこらえきれないほどの痛みをためてきたのだ。栄養のバランスなどといわずに、ごちそうを並べてあげよう。エレベーターを待つあいだ、尚美はいった。

「今夜はハンバーグとドライカレーとソーセージ。あとはマグロの赤身にコーンスープにしてあげる。たくさんたべて、元気になろう。耳のことなんて忘れていいから」

雄太にはやはりなにもきこえていないようだった。ただ母親が笑っているので、あわせて笑顔をつくってくれているのだ。尚美は周囲に誰もいないのを確認すると、しゃがみこんで雄太の薄い身体をしっかりと抱いた。

西本家では教育はなにより大切なものだった。専門技能を身につけ、どんな世のなかになっても生き残るには、教育はなくてはならないからである。それでなくとも父親が欠けていることで、この子たちに世間の風は冷たくあたるだろう。だが、難聴は雄太の復学を困難にした。

一日おきに心療内科にかよい、雄太と尚美はカウンセリングを受けた。それでも心因性だという雄太の症状はいっこうに改善の様子はなかった。一週間後、小学校にもどりたいといいだしたのは雄太である。

「先生の話はきこえないかもしれないけど、黒板にも書いてくれるし、クラスのみんなとはホワイトボードで話せる。うちにいるのはつまらないから、学校にいっていいでしょう」

クリニックの帰り道に雄太はまったく強弱のない声でそういったのだ。昼のあいだ祖母とふたりきりでいることに飽きてしまったのだろう。

翌日から首にちいさなホワイトボードをさげて、雄太は元気に小学校にもどった。初日は担任への挨拶も兼ねて、尚美も同行している。つぎの日からはひとりだったが、耳がきこえないこと以外では、雄太は以前の雄太とあまり変わらない様子だった。

その十日ほどのあいだの変化といえば、尚美があの女の子の母親と口をきくようになったことだろう。女の名は川辺《かわべ》京子《きょうこ》といった。娘のひかるは雄太のひとつしたの九歳で、私立小学校の三年生である。ひかるの症状は心因性失声で、原因がわからないのは雄太と同じだった。

耳と声、あらわれる症状は違っても、同じ原因不明の病を抱えた子をもつふたりの女性が心をかよわせるのに時間はかからなかった。先に診療を終えたほうが順番を待って、帰りに目白通りにあるファミリーレストランでお茶をするのが、習慣になったのである。京子が自分の結婚のことを話したのは、三度目のティータイムのことだった。

子どもたちはテーブルをはさんで黙りこみ、ときに筆談をしながらクリームソーダをのんでいた。このふたりには奇妙に似た空気があるのだ。難聴や失声という症状だけでなく、どこか深いところでつうじあうものがあるのかもしれない。

出身は関西だという京子は、ブリリアントオレンジの麻シャツに、ブーツカットのジーンズをあわせていた。明るいグレイのパンツスーツの尚美とは対照的である。

「うちは今、離婚調停中なんだ」

いきなり切りだされた尚美は言葉を失ってしまった。

「そう」

「うちの彼は、広告プロダクションをやっているでしょう。若いモデルの女の子に手をだして、週末しか帰ってこなくなっちゃった。もうおしまいだからいいんだけど、この子のことがかわいそうかな」

京子はそういうとおきものの人形のような娘に目をやった。つぎは尚美が話す番だった。

「わたしのところもダンナが交通事故を起こしたとき、いっしょにのっていたのは若い女だった。土曜日にふたりで伊豆《いず》のほうにドライブにいって、そのまま事故で死んじゃった。あんなことを起こすなんて、わたしへのあてつけで心中したのかって思った」

興味深そうに京子はいった。

「それで女のほうは助かったの」

尚美はどうでもいいような様子でうなずいた。

「そう。助手席の女は六週間の重傷だったけれど助かった。退院してから何度かうちにきて線香をあげたがったけれど、一度もなかにはいれなかった」

名前も覚えていた。吉崎和花。美人でもなく、七歳うえの尚美よりもたるんだスタイルで、センスも頭も悪そうな女だった。尚美がくやしかったのは、夫の晴彦が自分よりもあんな女を選んだことだった。あれほど鈍そうな女のほうが、わたしよりもよかったなんて。事故の直後は生活に追われたが、その事実は時間をかけて尚美の自尊心を粉々にしていった。京子はいった。

「当然よ。そんな女、死んじゃえばよかったのに」

尚美は首を振るだけだった。京子はうわ目づかいでいった。

「それでね、尚美さんに頼みがあるんだけど、いいかなあ」

ひかるのベビーシッターでも依頼されるのだろうか。そう思ってテーブルのむこうを見ていると意外な言葉が流れてきた。

「もうすぐゴールデンウィークでしょう。うちは毎年この時期になると、軽井沢の別荘に家族でいくことになってるの。でも、今は調停中でしょう。だから、うちだけだと気まずくて。よかったら、雄太くんと美知佳ちゃんを連れて、尚美さんもいっしょにきてくれない。たいした別荘じゃないけど、滞在の費用は全部うちの夫にださせるから。ねえ、お願い」

京子は両手をあわせて、尚美のほうをのぞきこんできた。今年はまだ旅行の計画は立てていなかった。いくにしても近場の観光地で一泊か二泊するだけだろう。尚美の給料は決して高くはなかったし、これから先子どもたちの教育費がかさむのは目に見えていた。夫の生命保険でマンションのローンの返済はすませていたが、生活にゆとりがあるというほどではない。悪くはない誘いだった。

「それなら、いいけど。邪魔になるんじゃない」

尚美がいうと、京子は笑い声をあげて、手を振った。

「その邪魔をしてほしいの。彼はひかるのためだといって、義理で家族旅行をしようといってるだけなんだ。別にわたしの顔を見たいわけじゃないしね。尚美さんがいてくれると話し相手もできるし、すっごく助かる」

尚美は雄太の肩に手をおいて、ホワイトボードに書いた。

「ひかるちゃんたちと五月になったら、旅行にいく？　軽井沢に別荘があるんだって。いったらきっと楽しいよ」

雄太の返事はまったく抑揚のないものだった。

「わかった。ママたちがいいというなら、いくよ。それでいいよね、ひかるちゃん」

声をなくした少女は機械仕掛けの人形のようにこくりとうなずいてみせた。


小型トラックほどのおおきさがあるアメリカ製のミニヴァンが、尚美のマンションのまえにとまったのは、連休最初の日曜日のことだった。尚美は暗いうちから起きだして、バスケットいっぱいの昼食の準備をしていた。美知佳は久々の旅行がうれしいらしく、飛びあがるようにベッドをでると、窓から天気を確かめている。雄太はいつものように静かに身支度をしていた。

おおきめのボストンバッグとショルダーひとつになんとか四日分の荷物を詰めこんで、旅行の準備は終わっていた。ほかに忘れていけないのは、ランチバスケットと晴彦の死後つかわないままだったビデオカメラ一式くらいのものである。

京子の夫の川辺邦夫《くにお》は、あたりのやわらかな男だった。四十という年齢にしては、ジーンズのうしろ姿がさまになっていた。プロダクション経営も順調らしく小金ももっているのだろう。これでは若い女が放っておかないのも無理はなかった。エントランスのまえにとめたミニヴァンの運転席から、陽気に声をかけてくる。

「おはようございます、西本さん。雄太くんと美知佳ちゃんだったね」

美知佳は父親をなくしてから、大人の男性に甘えることに命をかけているところがあった。有無をいわせぬ猫なで声でいう。

「おはようございまーす、すごくカッコいいクルマですねー。うちはママが運転しないから、最近はタクシーばっかりでつまらないんだー」

邦夫はキャビンをおりると、西本家の荷物を後部のハッチから積みこんだ。美知佳にいう。

「それじゃあ、おじさんのとなりのとっておきの助手席に、美知佳ちゃんが座るか」

「うれしいー」

前列に邦夫と美知佳、二列目に京子とひかる、三列目には尚美と雄太が座り、七人のりのミニヴァンの座席は埋まった。軽井沢に着くまでの三時間は、初対面の緊張もあり、あっという間にすぎていった。車内でかかっているのは八十年代のポップスである。ジョージ・マイケルやカルチャー・クラブ、ＡＢＣにゴー・ウエスト。どうやら邦夫はイギリスのポップロックが好きなようだ。

高速道路はゴールデンウィークで混雑していたが、冷房のはいった車内は快適で、音楽のビートも快調だった。会話が盛りあがっているのは最前列だけだったが、邦夫は妻と娘の無言の抵抗には慣れているようで、気にもかけずに美知佳とおしゃべりを続けていた。声をなくしたひかると難聴の雄太は、ドライブのあいだほとんど音を発しなかった。尚美と京子のあいだでも低く会話がかわされただけである。

それでも生活の場である東京を離れるのは、気分の晴れることだった。邦夫は子どもたちのことを気づかって、上信越自動車道のパーキングエリアでこまめに休息をいれてくれる。ドアを開けるたびに、空気が澄んで爽《さわ》やかさをましていく。ひと言も発しない雄太とひかるの目がすこしずつ明るさを増していくのが、尚美にはわかった。

川辺家の別荘は新軽井沢にあった。碓氷《うすい》軽井沢インターチェンジから十五分ほど五月の緑のなかを走る。ミニヴァンは渓流をさかのぼる小魚のようだった。エアコンを消し、窓を全開にして、美知佳は窓枠に顔をのせていた。雄太のさらさらの髪を乱して高原の風が抜けていく。黙ったままほほえむ長男を見て、尚美はきてよかったと思った。

車がとまったのは新興住宅地のように造成された一角だった。きっとあとから植樹したのだろう。まだ若いシラカバが点々と枝を広げる別荘地に、ログキャビン風の屋敷が連なっている。

「さあ、着いたぞ」

そういって、邦夫がハンドブレーキをひいた。美知佳はわざとらしく叫んだ。

「すごーい、映画のおうちみたい」

尚美も窓越しに別荘を見た。軽井沢のどこか薄い日ざしのなかに白塗りのこぢんまりとした家が建っている。屋根は紺のスレートで、窓枠や柱はブルーグレイだった。地面に近い白壁は細かな泥はねでまだらに染まっている。京子が座席で背伸びしていう。

「あーあ、着いたらさっそく大掃除かあ。別荘なんて買うもんじゃないわねえ。ホテルなら、このままバタンて倒れられるのに」

車をおりると空気が東京より一段冷たかった。尚美は子どもたちに上着を着せ、川辺家に続いて別荘にはいった。一階はウッドデッキに続く広いリヴィングとキッチン、それに寝室がひとつだった。二階には寝室がふたつある。階段の天井におおきなクモの巣があって、子どものこぶしほどあるクモがじっと息をひそめていた。美知佳はにぎやかな叫び声をあげた。

「いやー」

邦夫は美知佳の頭に手をおいていった。

「あんなのだいじょうぶだよ。この辺は虫が多いから、すぐに慣れる。それにしても美知佳ちゃんは子どもらしくてかわいいな」

邦夫は階段の途中で振りむくと、ちらりと京子と手をつないでいる声をなくした自分の娘を見た。八歳ながら美知佳が、どんなふうに計算して振る舞っているか知っているので、尚美はなにもいわずに見ているだけである。

川辺家が一階の寝室をつかうというので、二階の広いほうが尚美たちの部屋になった。荷物をおいてひと休みすると、昼食の時間だった。邦夫の提案でウッドデッキのテーブルに全員が集合する。テーブルのうえには、尚美が用意した弁当が彩り豊かに並んだ。

「これがないとなあ」

邦夫はそういって、缶ビールのプルトップを開けた。シュッと気体の漏れる音が軽井沢ではどこか冷ややかにきこえた。十種類の野菜を刻んだサラダに、アンチョビいりのドレッシングをかけまわすだけで、昼食の準備は終わった。京子は雄太の肩を小突いていった。

「おかあさんが料理うまくてよかったね。わたしはこういうふうにきれいにつくるの、どうも苦手で」

そのときテーブルのうえから、昔なつかしい黒電話のベルの音がした。雄太はさっと反応した。新型の携帯電話に目をやる。邦夫はぱちりとフラップをあげて耳にあてる。立ちあがった。デッキを歩いて、室内にはいってしまう。ガラス越しに夫を眺める京子の視線は冷たかった。

「ついてそうそうあの女からの電話だなんて、うんざりだなあ」

尚美もブロッコリーを口に押しこみながら考えていた。なぜ男たちは家庭の外で恋をするところもあからさまになるのだろうか。隠し事が下手なのか、それとも退屈な妻へのあてつけなのか。邦夫はこの半日、妻の京子には見せたことのない顔で、携帯電話にむかって華やかに笑っていた。

大掃除を終えた夕方からスーパーに買いものにいき、その夜は定番のバーベキューになった。子どもが三人もいるとは思えないほど、静かな夕食だった。美知佳は自分の役をよく心得ていて、上手に邦夫に甘えていた。ときおりホワイトボードにメッセージを書くだけで、雄太とひかるは音なしの構えである。心療内科の医師は、環境を変えてみるのもいい手だといっていたが、初日にはふたりになんの変化もないようだった。

軽井沢はさすがに古くからの避暑地で、いろいろと見所が多かった。涼しさに震えながら白糸の滝を見て、浅間牧場でジョッキ牛乳とソフトクリームを注文する。旧軽井沢のメインストリートは東京の表参道と変わらない人出で、リゾートファッションがカラフルにそろうブティックの値札は銀座と同じだった。鬼押《おにおし》ハイウェーでは、ファンタジー映画の舞台のような奇岩のなかを気もちよくクルーズした。尚美はものをいわない子どもたちと、人類滅亡後のような風景はよく似あうと感心したくらいである。

三日目には日本ロマンチック街道を北上して、草津温泉まで足を伸ばした。共同温泉を三軒はしごしたのだが、子どもたちにはなぜ身体も洗わないのに三回も熱い湯にはいらなければならないのか、理解できないようだった。

楽しい時間は、矢のようにすぎた。尚美は川辺夫妻のことは気にせず、雄太の難聴についてもあまり考えずに、三日間をゆったりとすごした。女手ひとつで家計を支える。尚美はそんな言葉が大嫌いで、自分では絶対につかわなかったが、それでも相当のプレッシャーを日ごろから感じてはいたのだ。浮気を隠すのがいくら下手でも、さして文句もいわずに一生働き続ける男たちを立派だと思うこともある。

三日目の夜はお別れパーティで、また初日と同じバーベキューだった。ロブスターに牛のヒレ肉、地元でつくられたというハーブいりのホワイトソーセージ。黄色いラベルのシャンパンは、冗談のような値段だった。邦夫が買いこんできた食材は豪華で、それをフォローするのは美知佳である。

「わあー、すごいごちそうばかり。美知佳、うれしいなあ」

この子はきっと将来男たちを手玉にとるようになるだろう。尚美は苦笑してたくましい小学校二年生を見つめていた。室内には肉の焼ける煙があがっている。鉄板からはトウモロコシのはじける音がする。そのとき煙のむこうに尚美は見た。雄太がなにかに気づいたようである。ソーセージを刺したフォークをおいて、十歳の少年は立ちあがった。なにかがきこえるのだろうか。五人が注視するなか、白い壁にさげられた数年まえのモデルの電話機に手をかけた。呼びだし音など誰にもきこえないのだが、雄太の難聴の耳にはベルが鳴っているようだった。

にぎやかだったパーティは、雰囲気が一転した。尚美は長男がおかしくなったのかと心配になった。京子がいう。

「だいじょうぶ、雄太くん。誰からも電話はきてないのよ」

雄太には京子の声はきこえないようだった。受話器をとって耳にあてる。相手がなにか話しているのだろうか。しばらくして、雄太は低い声で返事をしていた。やりとりは数回ほどあっただろうか。ひどく長い時間のような気がしたが、尚美が腕時計で確かめると、雄太が鳴らない電話と話していたのは、ほんの九十秒くらいのものだった。自分の席にもどった雄太は、奇妙な笑いを浮かべていた。目がうっすらと赤くなっている。

この子はほんとうにだいじょうぶなのだろうか。尚美の胸がおおきく鼓動を刻み始めた。

雄太が感情の抜け落ちた声でいった。

「パパからだったよ」

まあといって口を押さえたのは、京子である。尚美は心配だったが、逆らわずに雄太にたずねていた。クリニックの医師からは、頭ごなしに子どものいうことを否定してはいけないといわれているのだ。尚美は息子が難聴だということを思わず忘れてしまった。

「へえ、パパが電話をくれたんだ。なんていっていたの」

雄太はぼんやりと幸せそうにほほえんでいた。

「いい季節だし、楽しそうでよかったなあ。パパもいっしょにいられたら、もっとよかったって」

尚美は息がとまりそうだった。雄太にはわたしの声がきこえたのだ。でも、なぜ急に。あわてて叫んだ。

「雄太、耳はきこえるの」

雄太は黙ってうなずいた。美知佳が我慢できないようにいう。

「パパが今の電話で治してくれたんだ。ねえ、おにいちゃん、パパ、美知佳のことはなにかいってなかった」

「うん、いってた。美知佳はえらい。いつも家のなかを明るくしようとがんばっていて、パパは誇りに思うって」

尚美の頭は混乱していた。確かに雄太は頭のいい子だが、こんなことを妹にいえるほど大人だったのだろうか。美知佳は父からだという言で、もう泣いていた。

「それで、おにいちゃんのことは」

雄太は泣きながら、照れた笑顔を見せた。

「ぼくはあまり無理しちゃいけないって。ぼくはママに似て、なんでも完全じゃないと気がすまないところがあるから、自分を追い詰めちゃだめだって」

小学校四年生の言葉とはとても思えなかった。もしかしたら、ほんとうにあの人から電話があったのだろうか。京子と邦夫は箸《はし》を休めて、見てはいけないものを見てしまった顔をしていた。尚美は恐るおそるいった。

「パパ、ママのことはなにかいってなかった」

雄太はこくりとうなずいた。

「ごめんって」

「それだけなの」

ゆっくりと首を横に振って、雄太はこたえた。

「ううん。ママには別にメッセージがあるんだって。ちょっと待ってて」

ダイニングチェアをすべりおりると、雄太は階段を駆けあがっていった。二階の寝室になにかとりにいったようだ。肩からビデオカメラのバッグをさげてもどってきたのはすぐのことである。尚美は口のなかでいう。

「ビデオ？」

雄太は自分の椅子にビデオバッグをおくと、なかを探り始めた。夫の晴彦は機械好きで、なくなるすこしまえに最新型のディスクに録画のできるビデオカメラを購入していたのだ。

「おかしいな、さっきパパはこのなかにあるっていってたんだけど」

雄太のちいさな手が細かな間仕切りやポケットを探っていく。

「あった」

ポケットの奥から一枚のディスクをとりだした。カバーには試供品と印刷されている。

「ママへのメッセージはこのなかにはいってるんだって」

最初に動いたのは邦夫だった。

「すぐ見てみよう」

リヴィングの三十二インチのワイドテレビにビデオカメラをつなぐ。尚美は全身がしびれたように身動きがとれなかった。これはすべて現実なのだろうか。接続を確認すると、邦夫は雄太に手をさしだした。

「ディスクを」

雄太は自分でビデオカメラまで歩き、曇った鏡のように輝くディスクをセットした。邦夫が低い声でいった。

「尚美さん、始めます」

再生ボタンを押すと画面はベタ塗りの灰色に変わった。そこに一度ノイズの波が走って、映像が始まった。正面には晴彦の笑顔が見える。そのうしろは事故で廃車になった赤いアルファロメオだ。子どもたちにも尚美にも思い出深い車だった。晴彦はコットンニットの淡いブルーのサマーセーターだった。今思いだしたが、なくなる直前に夫は長めの髪をばっさりと切っていたのだ。前髪をジェルで立ちあげた晴彦がふざけていった。

「テスト、テスト。ワン、ツー、ワン、ツー」

生きて呼吸をしている晴彦を見るだけで、尚美の胸はいっぱいになった。

「パパー」

美知佳は口に頬ばったごちそうをかむのも忘れて、ぼろぼろと涙を落としていた。雄太はビデオカメラの横に正座して、ほほえんで画面を見あげている。死者はディスクのなかに永遠に刻まれた五月の日ざしのなかで口を開いた。

「尚美、ごめんね。今回のことが、きみにばれたっていうのは、うすうす感じてはいたんだ。結婚して十年近くになると、慣れちゃうというか、甘えがでるというか、ちょっとふらふらとしてみたくなったりするんだ。でも……」

晴彦は視線を流して、空を見あげた。尚美はすぐそばにいって抱きしめてやりたかった。そして、どこにもいかないように夫を捕まえるのだ。再びビデオカメラにもどってきた晴彦の視線は真剣だった。

「……こういうことはもう終わりにしなくちゃいけない。ぼくには尚美がいるし、雄太と美知佳という素晴らしい子どももいる。今日はこれから彼女と伊豆にいってくる。初めてデートした場所で、きちんと別れてくるつもりだ。むこうもこっちの雰囲気を感じて、覚悟はしているみたいだしね」

晴彦はそこでいいにくそうに言葉を切った。一段と力をこめてビデオカメラを見つめたようだった。尚美は胸の中心を射貫《いぬ》かれた気がして、息もできなくなった。

「ぼくは最初に会ったとき、尚美の完璧《かんぺき》さがまぶしかった。いつでもちゃんとしていて、どんな場面でも完璧に自分の役割を演じられる。でも、長く暮らすうちにそれがちょっと息苦しくなったんだ。こちらもほかの女の子に寄り道しないように気をつけるから、尚美ももうちょっと生きていくうえでの圧力というか、緊張をゆるめてくれないか。もっとリラックスして、明るく笑ってほしい。それは、ぼくだけでなく、子どもたちもきっと同じように感じていることだと思う。きみはそんなに無闇にがんばらなくても、いい妻で、いい母親だよ」

尚美は自分が泣いていることにも気づかなかった。なぜ、あんなにおおきなテレビの画面が揺れているのだろうと思うだけである。晴彦がカメラに近づいてきた。もうすぐ自分に夫の息が届く。尚美の胸のなかでなにかが形を崩して、ほころんでいくようだった。晴彦の指がビデオカメラのレンズに伸びてきた。レンズを影で覆ってしまうまえに、晴彦はふざけた調子でいった。

「テスト、テスト。ドライブから帰ったら、きみにはきちんと謝って、報告するつもりだ。これは本番まえの練習。じゃあ、いってくる」

尚美はいかないでと叫びたかった。このまま車で家をでた晴彦は、東伊豆の国道でカーブを曲がり切れなかったトラックに押しだされ、五メートルしたの川原に墜落していくことになるだろう。顔は無傷だったが、胸はベニヤ板のように平らに潰《つぶ》れていた。

　京子がなぐさめるようにいった。

「さっきの電話ほんとうに晴彦さんからだったのかもしれないね。耳がきこえなかった雄太くんだけが、ベルの音がきこえたんだ」

　邦夫は床に座りこみ、自分のひざを見おろしていた。手はつよくこぶしをにぎっている。そのときいたことのない女の子の声がした。

「そんなことないよ、ママ。だってわたしにもちゃんときこえたもん」

　京子は叫んだ。

「ひかる、あなた、今話してる。声がでるようになったの」

　尚美が驚いてひかるの顔を見つめた。この子の声はこんなに澄んでいたのだ。尚美は泣きながら、初めてきく声に感心していた。

「明日には雄太くんのパパみたいにいえなくなっちゃうかもしれないから、わたしもきちんというよ。パパ、ママ、お願い、別れないで。三人でいっしょに暮らそうよ。いつもつまらなそうなママとケンカばかりしてるパパをずっと見ていて、わたしはそれがどうしてもいえなかった。そしたら、声までなくなっちゃったんだ。何度でもお願いするから、ひかるはこれからいい子でいるから、パパ、ママ、お願い、いっしょにいて」

　京子は駆け寄って声を取りもどした少女を抱きしめていた。尚美も雄太の背中を抱いた。

美知佳は椅子をおりて、母親のところにいくと震える背中に手をおいた。

「だいじょうぶだよ、ママ。パパはあそこから、ずっとわたしたちのことを見てくれる。泣かなくてもいいよ。おにいちゃんはへなちょこだけど、わたしがついてるから。きっとだいじょうぶだから」

目をあげると、美知佳が泣き笑いの顔で見つめ返してきた。短い指はリヴィングの天井をさしていた。テレビ画面には砂の嵐が音もなく浮かんでいる。尚美はもう一度、晴彦に会うためにビデオカメラの再生ボタンを押した。雄太の熱い身体にきいてみる。

「雄太はほんとうに電話のベルがきこえたの」

男の子の頭は汗で湿っていた。かすかな体臭に晴彦を思いだし、胸が締めつけられてしまう。雄太は振りむくといった。

「うん。不思議だけど、最初から電話のベルだけはちゃんときこえた。誰かがいつもぼくの心のなかで話していたんだよ。どこにいってもベルの音にだけは注意するんだって。あれはきっとパパだったんだね」

美知佳があとを続けた。

「そうだよ。きっとパパに決まってるよ。やっぱり美知佳のパパはえらいねえ」

涙でかすんだ目をあげると、ひかるを抱いた京子と視線があった。これから川辺家になにが起こるのか、未来は誰にもわからない。だが、決してそれは悲しみだけではないはずだった。晴彦をなくしてから二年、そのあいだにはたくさんの笑いと発見があったのである。曇り空や雨降りに耐え続ければ、死者からでさえこんな素敵な贈りものをもらうことがあるのだ。美知佳のいうとおり京子の家だってきっとだいじょうぶなはずだった。わたしたちはみんな自分で想像するよりずっとつよい生きものだ。

「テスト、テスト。ワン、ツー、ワン、ツー」

晴彦の声がテレビから流れだした。尚美は泣きながらほほえんだ。いつかまた会ったら、こんなに長く放っておいてとうんときつく文句をいい、それからこの人を思い切り抱きしめてあげよう。ドライブにも、天国にも二度といかないように。ふたつの魂が溶けあって、ひとつになるそのときまで抱きしめていよう。

尚美はブラウン管にそっと手をおいた。あたたかなガラスのむこうで、光りの点になった晴彦が照れたように笑いかけてきた。

冬のライダー

煮詰めたミルクのように濃い朝霧のなか、オートバイの排気音だけが響いていた。佐伯正平《さえきしょうへい》は4ストロークエンジンの間歇泉《かんけつせん》のような振動を両足のあいだに感じながら、多摩川《たまがわ》の河川敷を見おろした。水の面には寒さのせいで湯気のような白いもやが揺れている。正平がいつもモトクロスの練習につかっている天然コースも、折り返し地点に立つ一本松以外は墨絵のように白くかすんで、おぼろげな起伏しかわからなかった。

アクセルを開き、堤防の斜面を一気に駆けおりようとしたとき、正平はその人影に気づいた。寒そうに両手で身体を抱いて立っている背の高い女性だった。正平とは目をあわせずに、白い河川敷を見おろしている。犬の散歩か、近所の住人だろうか。以前バイクの騒音で苦情をいわれたことのある正平は、フルフェイスのヘルメットとゴーグルをつけたまま、女性にむかって会釈した。たいていの人間にとって、バイクにのる若い男は暴走族に毛のはえたようなものだ。正平はなるべく人のいいライダーの振りをした。

「おはようございます」

人影は初めて気づいたように霧のなかで振りむくと冷えびえとした声でいった。

「ああ、あんたね、毎朝うるさいへたっぴは」

返す言葉をなくした正平などかまわずに、その女はまた多摩川の広がりに身体をむけた。

確かに高校にはいってからモトクロスに目覚めた正平は、まだ上手にオフロードを走ることはできなかった。河川敷のコースもなんとかハーフスロットルでまわるのが精いっぱいだ。

「……すみません」

正平はアイドリングに近いエンジン回転を保ったまま、ゆっくりと堤防をくだった。腕を伸ばしハンドルを遠くして、ステップに立ち尻《しり》を引く。なるべく後輪に荷重をかけるのだ。そのとき目線は遠くへ。モトクロスの教科書どおりにやったのだが、教科書には雑草に隠れた穴への対処法はのっていなかった。前輪が落ちるとハンドルが急に引っぱられ、ハンドルにしがみついていた正平は前方に投げだされた。バイクを飛び越え、朝露でびしょ濡《ぬ》れの草に背中から落ちる。

「へたっぴ」

先ほどの女性の声が、霧のなかどこか上方からきこえた。正平は顔を赤くして立ちあがり、ゆっくりと後輪を回転させているバイクを起こすと、今度はコースまで押していった。背中が痛かったが無視した。あの女に弱みを見せるのが嫌だったのだ。また笑われるに違いない。正平は堤防のうえを見ないようにしながら、高校の授業が始まるまえの早朝練習を始めた。

数日後、正平はまた河川敷にいった。夕方の堤防にのぼると、空気が澄んで遠くの富士山が赤味をおびた灰色の影になり、多摩川の向こう岸に横たわっていた。川はまるで流れをとめたようで、グリースを薄く塗った金属板に見える。暗くなるまえにコースを何周かしようとしてエンジンをふかすと、土手のうえの未舗装の道にまたあの女性が立っていた。ジーンズに紺のダウンジャケット姿だが、どこか厳しい冬の空気まで身にまとっているようだ。なにかに耐えているような表情をしていた。しかたなく正平は挨拶《あいさつ》した。

「こんばんは」

女は正平の言葉を無視して、ちらりとオフロードバイクを見るといった。

「あんた、へたっぴなんだから、ヘッドライトにテープくらい張っておきなさいよ。ガラスの破片で他の人がケガするでしょ」

確かにそのとおりだった。アマチュアのレースではヘッドライトのテーピングは義務づけられている。転倒した際に破片がコーストラックに残ると危険だからだ。そうすると、この人はバイクのことに詳しいのだろうか。正平はあらためて女性を見た。まえをあけたダウンの胸には、HONDAのロゴが半分のぞいていた。

「あの、モトクロスが好きなんですか」

背の高い女は信じられないという表情で正平を見つめ返してくる。

「あんなもの好きなわけないでしょう」

「はあ……」

正平が黙っていると、女性はまた暗くなり始めた河川敷のほうへ身体をむけてしまった。正平はしかたなく堤防をくだった。今度はうまく穴を避けたので、女性のまえで転ばずにすんだ。どうだという気分で五メートルほどうえの堤防を見あげると女の姿はなく、夕暮れの淡い空が広がっているだけだった。

日曜日、多摩川の河川敷はがらりとにぎやかになる。遠くの野球グラウンドからやじが響き、川岸からはバーベキューの煙が大田区の町工場なみにあがっていた。正平がかよう天然コースもさまがわりしている。堤防のしたの道には、値段の割に荷室が広いのでトランスポーターとして人気があるトヨタ・ハイエースがずらりとならび、小柄なフレームだが本格派の八十ccモトクロッサーがつぎつぎとおろされていた。バイクをおろすのは父親の役割で、その横で手をださずに静かな目で見ているのは、最新の装備で全身を固めた子どもたちだった。ほとんどは男の子だが、なかには小学生の女の子もいる。有名チームやファクトリーのワッペンがべたべたと縫いつけられたジャージやモトクロスパンツ。ひじとひざだけでなく肩や肋骨《ろっこつ》を守るプラスチックやケブラー繊維のプロテクター。ブーツやヘルメットは世界の一流選手がレースで使用しているものとサイズが違うだけで、まったく同じハイテク素材の高級品だった。週に一度しかない日曜日、それも思い切りバイクにのれるのに、あまり楽しそうな表情でもなさそうなのが正平には不思議だった。きっと恵まれた子どもたちには自分の感情を表現する必要があまりないのかもしれない。

正平は自分のバイクを見おろした。中古で手にいれた二百五十ccのオフロードバイクである。子どもたちのようなモトクロス専用設計ではなく、公道も走れるデュアルパーパスの平凡なマシンだった。のりやすいが、当然オフロードの限界性能ではかなわないだろう。正平は思いだしてサドルをおり、ビニールテープでヘッドライトに×印を二重に張りつけた。

（これでいいだろう）

正平はまた堤防をおりていった。今日はどこまで、あのきざな子どもたちにくいついていけるだろうか。正平は遊びのレースでもまだ一度も勝ったことがなかった。

数周ほど慣らし運転をして、バイクとその日の自分の調子を確かめると、正平は一本松のしたでバイクをとめた。松の大木の根には思いおもいの恰好《かっこう》で子どもたちがくつろいでいた。アルミニウムの水筒からスポーツドリンクをのんでいる子、こんな場所にきて携帯ゲーム機で遊んでいる子もいる。正平はゴーグルをあげて子どもたちに声をかけた。

「誰かいっしょにレースやらないか」

カワサキの黄緑のジャージを着た小柄な少年がいった。

「おじさん、またやるの」

何度自分は高校生だといっても、小学生は正平をおじさんと呼ぶのをやめなかった。

「もちろん」

子どもたちはコースの入口にたむろする親のほうを見た。カワサキの子がいった。

「じゃあさ、賭《か》けようよ。ぼくたちの誰かが負けたら、おじさんに五十円ずつあげるから、おじさんがビリだったら、全員に百円ずつ払う。それでどう」

「わかった」

正平は子どもたちと賭けをしても、やはりレースがしたかった。練習をしているだけでは、ほんとうに自分が速くなったのかわからなかったし、草レースの緊張感がたまらなかったからだ。

「じゃあ、バックストレッチで待ってる」

そういってゴーグルをもどすと、一本松を曲がった先の直線まで先に移動した。二百五十ccのエンジンはいい調子にあたたまっている。今日はあの退屈そうな子どもたちのなかでも、一番のチビくらいにならば勝てそうな気がした。なにせ、毎朝このコースで練習しているのだ。正平は右手のスロットルをリズミカルに絞りながら、子どもたちがくるのを待った。

レースは四周で競われることになった。ほとんどの子たちが参加したがったが、負ける危険を考えて、精鋭四人が湿った土のうえで正平と前輪をそろえた。ホンダ、ホンダ、ヤマハ、カワサキ。どれも公道走行用の保安部品を削《そ》ぎおとした最新型のモトクロッサーだった。しかもヤマハにまたがり、なんとか片方の足だけでつま先立ちしているのは、小学校四年生くらいの女の子だ。

(これは負けられない。というか、勝てるかもしれない)

子どもたちから金をもらうつもりはなかったが、正平のやる気は高まった。

「レディ、セット……」

全米チャンピオンのリッキー・カーマイケルと同じレースジャージを着た少年が、一段高い土の山から号令をかけた。野太い4ストロークと切れ目なく続くかん高い2ストロークのエンジン音が、鋭く河川敷に響いた。スズメの群れにカラスが迷いこんだようだ。

「……ゴー」

最初に飛びだしたのは正平だった。排気量と馬力にものをいわせて、フラットな直線でぐいぐい差をつけていく。最初のコーナーは右曲がりで、正平はブーツのかかとで土の表を削りながら、なんとかクリアした。

(やった。コーナリングも決まってる)

だが、うまく抜けたつもりのカーブでも、二番手のカワサキにぐっと距離を縮められていた。エンジン音がすぐ背後にきこえる。つぎは二十メートルほどの直線で、そのあとが正平の苦手なちいさなアップダウンが四つ連続する洗濯板だった。正平にはまだジャンプを決めることはできなかった。こぶのひとつひとつを体重移動しながら、なるべく速く抜けるしかない。

カワサキは洗濯板の入口でほぼ正平に追いついていた。正平が腰を引いて一段目にそなえると、緑の車体がエンジン音を高くして一気に加速してきた。ちいさなモトクロッサーが正平の頭を越えるほどの高さまで空中に浮かび、四つのこぶをたった一回のジャンプでクリアしてしまう。正平はカワサキの遥《はる》か後方に取り残された。

二段目のこぶでバランスを失った正平は思わずアクセルをゆるめてしまった。とたんに後輪のグリップが弱まり、体重移動がスムーズにいかなくなる。転倒はせずになんとか立て直したが、その横を残る三台が軽々と追い抜いていった。男の子のひとりはカワサキと同じように一発で洗濯板を飛び越え、残る二台は四つのこぶをきちんと飛距離をあわせて二回のジャンプできれいにクリアした。三分の一周ほどで、正平の順位はトップから最下位に落ちた。

続いてゆるやかな左カーブが開けていた。最短距離になる中央付近の走路はわだちが何重にも深くえぐれ、かなりの難易度になっている。正平は先をいく子どもたちのエンジン音をきいていた。あの子たちはスロットルをいっぱいにあけたまま、このラフロードを駆け抜けたはずだ。しかし、車輪の半分が隠れるほどの深いわだちにハンドルをとられ、正平は何度もクラッチを切り、シフトダウンしなければならなかった。

コース最後のビッグヒルに正平のバイクが着くころには、すでに半周近い差がひらいていた。そのまま順位はかわらずに、レースは最終ラップをむかえた。正平は勝てるかもしれないと甘く見た少女にさえ、周回遅れにされている。一本松の横にモトクロッサーを避けて、四人の子どもたちが疲れ切ってゴールする正平を待っていた。首位のカワサキがいった。

「ぼくたちに勝とうなんて、千年早いんじゃないの、おじさん」

正平はヘルメットとゴーグルをつけたまま、力なくちいさなてのひらに四枚の百円玉を落とした。

ひと休みしてから、正平はまたコースにもどった。今度はタンクが空になるまで、何度も周回を繰り返す。はじめのうちはひどく腹が立ったけれど、オフロードを風を切って走っているうちに、そんなことは忘れてしまった。

正平がくたびれてコースをでたのは、親子連れのほとんどが引きあげた夕刻だった。西の空には光りが残っているが、手元はだいぶ暗くなっていた。バイクでゆっくりと堤防をのぼると、そこにあの女性が立っている。かなりの寒さで唇が青かった。

「しょうがないへたっぴだね」

声にはあきれた調子がある。女性はダウンジャケットのポケットに手をいれ、ちいさく足踏みしながらいった。

「あんたさあ、左五十Rのコーナーでなんであんなに差をつけられたか、わかる」

左のコーナー？　あの深いわだちがコースをふさいでいるところか。正平は素直に首を横に振った。

「わかりません」

その女性も同じように首を振る。自分の頭を指さしていった。

「あんたの頭は、あのチビたちより悪いかも。あんなわだちに真っ正直に突っこんだら、世界チャンピオンだって苦労するよ。チビたちはみんな、あのコーナーの荒れてないところを選んで、S字型にクリアしていた。アクセル全開でね。あんたもハツカネズミみたいに同じところをぐるぐるまわってないで、ちょっとは頭をつかいな。あんたのバイクのほうがチビたちより十馬力以上パワーがあるんだからさ。普通なら勝ってあたりまえだよ」

正平はゴーグルのしたで顔が赤くなるのを感じた。ということは、子どもたちとのレースから何十周という練習まで、彼女はすべて見ていたのだ。正平がなにもいえずにいると、また彼女は首を振った。

「遊んでるだけで、速くなる気がないなら、まあ、余計なお世話だけどさ」

そういうと正平に背をむけて、堤防に切られた階段に消えた。いったい何者なんだろう。正平はしばらくぼんやりしてから、堤防をおりて公道にもどった。

正平はバイクを路肩にとめると、何台か残っているハイエースの裏にまわった。荷台にモトクロッサーをタイダウンベルトで固定している男性に声をかけてみる。

「あの、すみません……」

鼻のしたのひげをきれいに切りそろえた男が、顔をあげて正平を見た。

「……いつも堤防のうえでオフロードの練習を見ている女の人がいますよね。背が高い人なんですけど」

男はうんと腹から声をだすと、最後に狭い車内でストラップに全体重をかけた。ロングボディの車体全体がぐらりと揺れる。車からおりてくるといった。

「ああ、沙耶《さや》さんね」

「知ってるんですか」

「きみは知らないの。有名な人だよ。といっても、有名だったのはダンナさんのほうだけど」

正平には意味がわからなかった。黙っていると男はジーンズの尻《しり》ポケットからスズキのキャップをだしてかぶった。

いう。

「きみはノブ尾沢《おざわ》ってライダーを知らないかな」

ノブ尾沢……どこかできいたことのある名前だったが、うまく思いだせなかった。男は
「モトクロス始めたばかりなの」

正平は黙ってうなずいた。

「そうか。けっこういい選手だった。もうちょっとでファクトリーチームにスカウトされて、ほんとうのプロレーサーになれるところだったんだけどさ。まあ、ついてなかったんだよな」

男はそこで言葉を切って、空を見あげた。暗い空には三つほどガラス粒のような星が浮いている。正平は悪い予感がして、待ち切れずにいった。

「なにかあったんですか」

男はタバコに火をつけると、深く吸いこんだ。

「もう二年とちょっとまえになる。全日本モトクロス選手権の最終戦が高知で開かれた。ノブ尾沢はIA250クラスにエントリーしてたんだが、そのレースで見事三位に入賞して、年間ランキングの九位にしぶとくくいこんだ」

「ずいぶん詳しいんですね」

淋《さび》しそうな笑顔を見せて、男はうつむいた。

「まあな。このへんの地元のライダーたちが応援団を組んで、バスで四国まで応援にいったんだ。詳しくもなるさ。どこまで話したっけな」

「ポイントランクの九位になったとこまで」

「そのくらいの成績なら、バイクメーカーが金をだしてるプロチームに誘われてもおかしくない。ノブはそのときが得意の絶頂だった。遅咲きだったしね。アクシデントはレースがすべて終了したあとのエキシビションで起こった。高さ十メートルもある壁をのぼって、一発大ジャンプを決めるフリースタイルだ」

正平は分厚い革手袋のなかでてのひらに汗をかいていた。

「ノブはスロットル全開で急坂をのぼると加速したまま空中に飛びだした。ステップから足を離してサドルと身体がほとんど平行になる得意のハートアタックを決めようとした。風の強い日のフラッグみたいなやつだ。そのときだった。ハンドルからグローブがあっさり離れた。滑ったんだろうな。近くで見ていたおれたちには、ゴーグルのしたでノブが『あっ、やっちまった』って表情をしたのがわかったよ」

正平はなにもいえずに、グローブの手を開いたり閉じたりした。

「バイクとノブの身体は空中に離れて浮かんでいる。ノブは空を飛ぼうとするようにばたばたと腕を振りまわしていた。だけど、加速がついたままのバイクのほうが、宙に浮かんでる時間は長かった。スローモーションの映画みたいだ。誰ものっていないバイクが高い放物線を描いて、人のうえを飛んでいく。ノブが先にコースに落ちて転がっているところに、二百五十ccのモトクロッサーが落ちてきた」

各メーカーのパンフレットを穴のあくほど読んでいる正平には、そのクラスのバイクの乾燥重量がわかっていた。市販のままガソリンもオイルもいれない状態で百キロをわずかに切るくらいだ。男は短くなったタバコを最後のひと息で明るくふかすと、足元に投げ捨てライディングブーツの先で踏み消した。

「くやしいな。ついてないときは悪いことが重なるもんだ。前輪が落ちてきたのはうつぶせになったノブの首のうえだった。ヘルメットにもプロテクターにも守られていない首の裏だ。ノブは頸椎《けいつい》が砕け、病院につくまでもたなかった。この何年かモトクロスで死亡事故が起きたなんて、あれくらいのもんだ。バイクでやるスポーツだから鎖骨や手足を折るやつはけっこういるが、モトクロスはこれで案外安全だからな。ほんとうにノブはついてなかったんだ」

「そうですか……」

正平にはそれだけしかいえなかった。それで、あの女の人はいつも河川敷のコースを見ているのだろうか。寒そうに両腕で身体を抱いている細いシルエットを思い浮かべた。あたりはすっかり暗くなっている。正平はハイエースの男に礼をいうと、とめておいたバイクにもどった。

翌月曜日の朝も正平は多摩川の河川敷にいった。夕方から夜にかけては自宅近くにあるコンビニエンスストアのアルバイトで練習できなかったからだ。寒さは厳しいけれど照明がなくても明るいし、日曜日と違ってほかのライダーがいないのが魅力だった。

堤防にのぼる坂の手まえで、あの女性の姿に気づいた。やはり街に背をむけて、コースのほうを見ている。ゆっくりと静かに堤防にあがり、正平はそれまでと同じように挨拶《あいさつ》した。

「おはようございます」

声が裏返りそうであせってしまった。ノブ尾沢の話をきいたあとで、さんざん考えたのだが、それまでどおりなにも知らない振りをするのが一番いいと決めていたのだ。尾沢沙耶は正平のほうをちらりと見るといった。

「あら、今日はちゃんとヘッドライトにテーピングしてるんだね」

片足をおろして、正平はバイクをとめた。声がでるより先に白い息がもれるのが、なぜか不思議だった。

「どうせ、へたっぴだから」

化粧をしていない顔で、沙耶が急ににこりと笑った。彼女の笑顔を見るのは初めてで、正平はまっすぐに相手を見つめたままではいられなかった。

「あんたぐらいの年で、あんたと同じぐらいへたっぴだったライダーがいたよ」

ノブ尾沢のことだろうか。正平は思い切ってきいた。

「その人はどうなったんですか」

「あまり有名じゃないけど、プロレーサーの端くれにはなった」

それだけいうと、彼女は川のほうをむいてしまった。ひと呼吸ほど待ってみたが、なにも続きがなかったので、正平は堤防をくだり、前日小学生に負けたコースでていねいに周回を重ねた。

その日から正平と沙耶は、挨拶だけでなく言葉を交わすようになった。もう沙耶から一方的にしかられるだけではなくなったのである。ほぼ毎日河川敷を訪れる正平だったが、沙耶と話ができるのは一週間に三、四度だった。

しかし会うたびに沙耶は正平のライディングの欠点をあげ、きちんとアドバイスをくれた。あるときはハンドルのにぎりかたといった基本中の基本から、コーナリング時のひざのつかい方、コースがぬかるんでいるときのサスペンションセッティングの方法まで、正平には役に立つことばかりだった。

二週間ほどで十二月も終わりになった。高校は冬休みにはいり、正平はコンビニだけでなく、バイクをつかった配送サービスのアルバイトを始めていた。中古でもいいから、本格的なモトクロッサーをいつか手にいれるためである。

久しぶりの休日の朝、正平が多摩川にむかうと、堤防のうえには見慣れない恰好《かっこう》をした沙耶が立っていた。モトクロスパンツにレースジャージ、小脇にはフルフェイスのヘルメットをかかえている。レーサー姿の沙耶の横には百二十五ccのモトクロッサーがとめられていた。正平は勢いよく堤防を駆けあがり、バイクに横づけした。

「これ、誰のモトクロッサーなんですか」

沙耶はにこりともせずにいった。

「あたしの」

正平は驚いて沙耶を見た。沙耶は平然としている。

「ずいぶんモトクロスに詳しいけど、バイクにのるなんて知らなかった」

沙耶はセミロングの髪を後頭部でまとめるとゴムでとめ、ヘルメットをかぶった。遊園地の木馬のようにきゃしゃなバイクにまたがる。沙耶の体重だけで、サスペンションがぐいと沈んだ。正平の目は輝いていた。このちいさなエンジンから四十馬力を超えるパワーがでるのだ。パワーウエイトレシオでいえば、チューンアップしたポルシェにだって負けない高性能だった。沙耶はいった。

「またこれにのるようになるなんて思わなかった。あたしも昔はレディースのレースにでてたんだ。このまえ話したへたっぴに会ってから、自分のレースはやめたんだけど。さあ、いくの、いかないの。今日からはいっしょに走りながらコーチするよ。正平くんだって、いつまでも小学生に負けたくないでしょ」

正平は目を丸くしてバイクにまたがった沙耶を見つめた。やわらかにハンドルをつかんだ手は丸いカーブを描いて肩に続き、背中はシートのうえですっきりと伸びている。それは正平がビデオで見た一流選手と同じ雰囲気だった。安楽椅子にでも横になっているように、サドルのうえで自然にくつろいでいるのだ。

「はい。よろしくお願いします」

正平が叫ぶようにいうと、沙耶がスターターレバーを右足で踏み抜いた。ぱりぱりと乾いた木材を裂くような音が河川敷の空に伸びて、沙耶のモトクロッサーは堤防を軽々と滑りおりていく。正平も胸を鳴らしながら、あとを追った。

沙耶は正平のあとについてゆっくりと一周、河川敷のコースをまわった。二周目にはいるまえに一本松を親指でさして、コースからはなれていく。正平も続いた。モトクロッサーをとめた沙耶がヘルメットを脱いだ。髪をほどき、頭を振る。やわらかな髪は雲のように一度だけ横に流れた。

「バイクにのるばかりが能じゃないよ。ちょっとこのコースを歩いてみない」

正平がうなずいてエンジンをとめると、シートにヘルメットをおいて沙耶は朝霧の残るコースをさっさと歩いていった。遠くに見える田園都市線の鉄橋の音が周囲にもどってきた。沙耶は左五十Rの先にあるコーナーで立ちどまった。コースの外側にでて、バンクに残ったわだちを指さす。

「正平くんは、この鋭角ターンで子どもたちと同じようにアウト側にコース取りして、クラッチを切って一気にバイクのむきを変えようとしているでしょう。テールスライドをつかって。でも二百五十では車体が重いからいつもふらついてる。コーナリングは高速になるほど、横Gが強くなって、わずかな重量差も強烈に感じるんだ」

　それから沙耶はコースを横切り、赤いパイロンのおかれたカーブの内側に移動した。

「排気量のメリットがあるんだから、むずかしい小細工をするより、インサイドをべたにまわったほうが速いよ。きちんと減速してむきが変わったら、素直にアクセルワークだけで加速する。エンジンのトルクを生かさない手はないよ」

　沙耶のコーチは具体的で、きちんと理由が説明されていた。案外、理屈っぽいのかもしれない。正平は感心していった。

「昔、コーチもやっていたんですか」

　インベタのライン取りを教えようとコースにでた沙耶が、振りむかずにこたえる。

「まあね。さっき話したへたっぴライダーのコーチをしながら、日本中のコースをまわってた。ぜんぜん素直じゃなかったから、理屈でちゃんといわないと納得しなくてさ。山のようにレースのビデオを見て、モトクロスのテキストを読んだよ」

「じゃあ、その人以来の生徒なんですね、ぼくが」

「まあ、そうだね」

正平がノブ尾沢の話を知っていることを話そうか迷っていると、沙耶が急に振り返って笑った。

「でも、心配いらないよ。正平くんは、まえの人よりずっとずっとへたっぴだから、いっしょにどさまわりするようなことにはならない。毎日ドライブインで食事して、旅費を浮かすためにハイエースの荷台で寝袋にくるまってバイクのあいだで寝るんだ。美容にはよくないよ」

淡い冬の雲が切れて、河川敷に朝日がさした。正平は沙耶の笑顔をまぶしく見た。それはテレビで見る女優のようにただきれいなだけではなかった。どこか遠くに旅して帰ってきた人間が見せるような穏やかな笑顔だった。もっとも正平がかつてのパートナーで、亡くなったライダーのことを知っているからそう感じるだけかもしれない。沙耶はなんでもないように、つぎのテーブルのうえに立った。

「ここは高さはあまりないけど、けっこう長いテーブルだよね。一気に飛び切れるなら、飛んじゃったほうがいいけど、飛ばないという選択もある。ジャンプは最小に抑えて、テーブルのうえでフル加速するんだ。モトクロスではすべてのセクションを、つぎのコースをいかに速くスムーズにこなすか考えて走らなきゃいけない。ひとつだけそれをクリアすればOKなんて障害はないんだ。全部のセクションやターンが一連の困難な流れになっていて、うまいライダーほどそこに自分で強弱のリズムをつけて越えていく」

沙耶はテーブルトップから正平を見おろしていた視線を、多摩川のむこうに移した。声を落としていう。

「なんだか、あたしの生活みたいだな。あんまり正平くんのことをへたっぴだなんていえないな。あたしだって大クラッシュを起こして、そのままコースアウトだもんね」

いきなり歯をむいて笑い、沙耶は七十センチほどあるテーブルからぽんと飛びおりた。正平がついてくることなど気にせずにつぎの洗濯板に移動していく。正平はあわてて小走りであとを追いかけた。

つぎの朝から正平の練習が変わった。沙耶のアドバイスで一番効果的だったのは、コースをひとつの流れとしてとらえるという考えかただった。正平は苦手なコーナーでは無理をしなくなった。むずかしいところはそっとやさしく抜けて、つぎの得意なセクションでがんばればいい。そう思い切るだけで、エンジンの音さえ変わってしまった。アクセルの開閉がなめらかになり、セクションに強弱をつけ始めると、バイクは以前のように荒っぽい挙動を示さなくなった。もっともそれは沙耶のコーチのせいばかりでなく、毎日繰り返してきた練習の成果が積み重なっていたせいもあるのだろう。

練習を終えて堤防にもどると、ダウンジャケットを着た沙耶がしぶい顔でうなずきかけてきた。

「悪くないね。今さ、目をつぶって正平くんの練習をきいていたんだけど、まだへたっぴだけどエキゾーストがちゃんと歌うようになったよ」

朝の練習に手ごたえを感じていた正平は明るくきいた。

「それってけっこうすごいことなんですか」

沙耶は皮肉そうに唇の右端だけつりあげた。

「以前のへたっぴからすると大進歩。でも小学生のおちびちゃんのほうが、ぜんぜんバイクがいい歌をうたってる。正平くんはまだまだだね」

厳しいことをいわれても正平はめげなかった。オフロードの土と泥と小石だらけのコースにメロディがあることに初めて気づいたのだ。毎日朝がきて練習できるのが、楽しくてたまらなかった。正平はバイクをおりるとヘルメットを脱ぎ、深々と沙耶に頭をさげた。

「なんていっていいかわからないけど、ほんとうにありがとうございます」

お腹の底から声をだして誰かにありがとうというなんて、正平は生まれて初めてだった。

沙耶は照れくさそうに、朝の河川敷にむいてしまう。

「お礼なんてまだ早いよ。ちびたちに勝ってからいいなよ」

それでもしばらくのあいだ、正平は頭をさげたままでいた。おおげさなテレビドラマみたいだけれど、そうしていたい気分だったのだ。

正平は大晦日《おおみそか》も正月もなく練習を続けた。沙耶もときに伴走しながら、ジャンプの踏み切りの際のアクセルコントロールや空中での抜重の仕方など、自らやって見せることもあった。

新年最初の日曜日は、冬休み最後の日曜日に重なっていた。堤防沿いの道にはとめきれないくらいのワゴン車がならび、本格的なグランプリでも始まるような雰囲気だった。正平は前回と同じように昼すぎに河川敷にいった。沙耶は堤防のうえに折りたたみ式のアームチェアをだして、ひなたぼっこをしていた。勢いよく急坂をのぼり挨拶《あいさつ》する。

「こんにちは。今日はちょっと練習の成果を試してみます」

沙耶はあきれたように笑って見せた。

「どうせやるなら、ちゃんと勝ってきなよ。相手が小学生でも、一番は一番だからね」

正平はうなずいて、堤防をいつものコースにむかっておりていった。胸が弾んでいる。一本松にはこのまえよりもさらに多くの子どもたちがいた。ライダーばかりでなく、モトクロスの練習を眺めるギャラリーも集まっていた。正平はカワサキのジャージを着た少年に声をかけた。

「新年初めての草レースをやらないか」

少年は気のなさそうにこたえた。

「またおじさんか。みんなお年玉もらって、お金あるからあんまりやる気ないんじゃないかな」

カワサキの少年は、退屈そうに木の根に腰かける子どもたちに目をやった。

「それじゃあ、あのときより賞金をはずむよ。こっちに勝った全員に千円でどうかな」

黙って話をきいていたほかの子どもたちが、身体を起こして興味を示してきた。黄緑の男の子はにんまりと笑い、子どもたちを見まわしてからいった。

「もうひと声、二千円でどう？」

正平は財布の中身を思いだした。

「その賞金だと参加者は五人までだな。いいよ、受ける」

「やったー」

子どもたちは一本松のしたで輪になってじゃんけんを始めた。前回ヤマハのバイクにのっていた女の子が不思議そうにいった。

「お金を捨てるようなものじゃない。どうしたの、おじさん」

正平はアクセルをゆっくりと開いた。エンジンの音がうたうようにあがっていく。

「ぼくが負けるとは限らないよ」

カワサキの男の子が声を張った。

「ねえ、もしそっちが勝ったら全員から五百円ずつでいいかな」

正平は首を横に振った。小学生からお金をまきあげてもしかたないだろう。

「いらない。ただ真剣にレースがしたいだけなんだ」

「ふーん。なんだかカッコいいね。おじさんて、カッコいいカモだね」

苦笑いしてバックストレッチに移動した。正平のタイムは一周あたり十秒は縮んでいる。だが、それだけの短縮で周回遅れにされた差が確実に解消されたとはいえなかった。正平はアウトコースにバイクをとめると、沙耶のようにサドルのうえでリラックスしようと深呼吸を始めた。


今回のスターターは黄色いジャージのヤマハの女の子だった。じゃんけんで負けたのがくやしかったのか、正平のところにきて、がんばってね、おじさんといった。身体と同じ細い声が川沿いのコースに響いた。

「レディ、セット……」

五台のモトクロッサーと正平のオフロードバイクのエンジン音がいっせいに駆けあがった。白く枯れたアシがなにごともなく風にそよいでいる。

「ゴー」

六台のマシンが転げるようにスタートラインを飛びだしていった。ホールショットを取ったのは、また正平だった。しかし今回は最初のカーブにトップで突っこんでも、得意になってはいなかった。これはただ自分のバイクが排気量がおおきく、トルクがあるせいにすぎない。勝負はカーブとセクションで決まるのだ。子どもたちがアウト側にコース取りする左五十Rを、正平はインベタにつけてまわった。しっかりとブレーキでスピードを殺し、脱出路にバイクの鼻先がむいたら一気にアクセルを開き、加速していく。浮きあがりそうになる前輪をくの字に曲げた前傾姿勢を維持して抑えこんだ。

最初のコーナーを抜けたところで、前回はカワサキに追いつかれていたが、今度はまだだいぶ差があるようだった。二十メートルほどの直線でさらに差を広げる。つぎは苦手の洗濯板だ。正平は練習では四つのこぶを一度の大ジャンプで越えることができるようになっていた。成功率は六割ほどである。だが、洗濯板の先にはすぐにあの長いテーブルがある。

とっさに判断をくだし、正平はアクセルをゆるめた。速度を落として、中ジャンプに切り替える。すべてのセクションをひとつの流れとしてコントロールすること。頭のなかでは沙耶の言葉が輝いていた。前輪から着地して、すぐにつぎのテーブルののぼり坂に突っこんだら転倒の危険がある。四周しかないこのレースでは、一度の転倒で勝利の可能性は消えさるだろう。

正平は距離だけあわせて、無理のないスピードで二回のジャンプを決めた。テーブルトップにあがるときも低い姿勢で腰を引いたまま、ジャンプせずに後輪の荷重を最大限にキープして加速した。

深いわだちが残るコーナーはアウトサイドのバンクを生かしパワーオンでまわりきり、最後のビッグヒルも距離はでないが、スピード豊かな低いジャンプでクリアした。正平は最初の一周ではカワサキに十メートルほどの差をつけて、一位でもどってきた。

ゴール地点の一本松にはヤマハの少女の肩を抱いて、沙耶が立っていた。黄色いジャージの女の子が叫んでいる。

「いけー、おじさん」

沙耶は笑って手を振った。正平は挨拶のつもりで、左手でクラッチを切ると、何度かアクセルを空ぶかしした。

残り三周を正平は必死に、だがたっぷりと楽しんだ。一度のミスでほかの子どもはともかく、すぐうしろにぴたりと張りついているカワサキには抜かれるだろう。だが、不思議なことに正平には自分のバイクのエンジン音をきくだけのゆとりがあった。その音を楽しんでいるとき、初めて正平は自分がこの草レースで勝てると確信したのだった。

最後の一周の勝負になった。依然として一位は正平で二位はカワサキだった。先頭の二台は、残りの四台を周回遅れにしている。勝負のポイントは洗濯板に絞られてきた。カワサキは正平が苦手な洗濯板で安全策を選んだことを知っていて、得意の大ジャンプで逆転を狙ってきたのだ。

正平はあわてずに距離をあわせる二度のジャンプにそなえた。カワサキの2ストロークのエンジン音が笛のように後方で高くなった。あの子はやる気だ。だが、正平はつぎのテーブルトップできちんと加速すれば、少々相手に逆転されても挽回《ばんかい》できると思っていた。戦いはこのセクションだけではない。

異変に気づいたのは二度目のジャンプの途中だった。正平の頭よりさらにうえを飛んでいくカワサキの車体が急な前傾姿勢をとっていた。少年はモトクロッサーにしがみつくように、まえのめりになっている。バイクでのジャンプは踏み切りの瞬間のアクセルワークが成否をにぎっていた。一度空中に飛んでしまえば、ほとんど姿勢の制御はきかない。きっと正平を追い抜こうとスピードをあげすぎ、直前につぎのテーブルトップが近いことに気づいて、アクセルをもどしてしまったのだろう。

正平はハイエースの男がいった言葉を思いだした。やっちまったって顔してたよ。男の子はバイクといっしょに正平の前方右手に落ちていく。だが、ノブ尾沢とは逆に少年は空中で自分から手を離すと、シートを蹴《け》って車体のさらに遠くへ飛んでいった。正平はテーブルの直前でバイクをとめると、黄緑のジャージに駆けていった。

「だいじょうぶか」

男の子はさっさといけというように正平に手を振ると、コースの端に移動していった。ヘルメットを脱ぎ、手袋をたたきつける。

「ああ、くそー。負けちゃった。でも、おじさん、すごいよ。ほんのひと月ですごく速くなってる」

正平は後続のバイクに腕で十字をつくり、レース中止を伝えた。コースにおかれたままの自分のバイクをかたすと、カワサキの男の子にいった。

「ほんとうに身体のほうはだいじょうぶなの」

少年ははにかんでうなずいた。

「うん。昔はいっぱいこけたから、骨が折れたらわかるんだ。でもさ、あのまま走ってたら、おじさんの勝ちだったね。ぼくがあとで五百円ずつ集めるよ」

正平は笑って首を横に振った。

「あのね、お金はいらないんだ。ぼくはみんなとレースがしたかっただけだから。それにね、ぼくが速くなったのはみんなある女の人のおかげなんだよ。きみもコーチしてもらうといい。きみなら全日本だって夢じゃない」

少年は枯れた草に腰をおろしたまま、まんざらでもなさそうにいった。

「ふーん、きっとすごいコーチなんだろうね。おじさんみたいなへたくそを、あれくらい速くするんだからさ。でもつぎは同じ八十のバイクで勝負しようよ。それなら絶対に負けないからさ。お年玉全部かけるよ」

遠くから沙耶の声が響いた。

「ねー、だいじょうぶ」

コースの脇をヤマハの少女と沙耶が小走りでやってくる。男の子は恥ずかしそうにバイクを起こすと、エンジンをかけていってしまった。ヤマハの女の子は全力で走ってあとを追っていく。沙耶が子どもたちを見送っていった。

「ふーん、そういうことか」

正平はいった。

「そういうわけで勝負はおあずけになりました。まだまだ沙耶さんのコーチが必要みたいですね」

沙耶は日曜日ののんびりした河川敷を歩き始めた。

「でも、けっこういい線いってたよ。まあ、小学生相手だし、排気量も三倍以上なんだから、勝ってあたりまえだけど」

黙っていられずに正平は薄い背中に声をかけた。

「沙耶さん、ありがとうございました。ぼくはずっとまえにノブ尾沢さんの話をきいていたんだけど、なんていっていいのかわからなくて」

沙耶は振りむかずに、銀の枯草のうえを歩いていく。

「そう。でもね、お礼をいうのはあたしのほうかもしれない。だってさ、正平くんがあまりにへたっぴでかわいそうだったから、またモトクロスをやってみる気になったんだ。黙って見ていられないというかさ。気がついてみたら、一から誰かに教えることで、あたし自身もだんだん昔の調子を取りもどしていったんだよね。癒《いや》されるなんていうと、やらしいけどさ」

正平は照れくさそうな沙耶の言葉に胸が熱くなった。苦しさを隠すように軽口をたたく。

「じゃあ、ぼくの運動神経の悪さが、沙耶さんをカムバックさせたんだ。へたっぴも悪くないですね」

沙耶は立ちどまると、ちらりと正平を振りむいた。いたずらっぽく笑っている。

「うちのだんなが練習用にのってたモトクロッサーがあるんだけど、いくらなんでも小学生と互角の勝負をしているようじゃ、のせてあげらんないよ。あんたはほんとへたっぴなんだから、もっと頭と身体つかって練習しなさい」

正平は沙耶が踏む枯草の音を追って、子犬のように走っていった。

夕日へ続く道

二月のベンチは冷たかった。薄い学生ズボンをとおして、真冬の地面の寒さがじかに伝わってくる。空は薄青く晴れて、雲のかけらも見あたらなかった。凍りついたように荒れた公園の地面には、すっかり葉を落としたケヤキやソメイヨシノの枝影が、神経質にからみあって落ちていた。なぜ、きちんと時間どおりに家をでたのに、自分は学校にいけないのだろうか。川本雄吾《かわもとゆうご》は誰もいないベンチで身体を硬くしたまま考えていた。

いけないのは、きっと考えすぎてしまうことなのだろう。クラスのみんなのようになにも考えなければいいのだ。なぜ誰もが同じ制服を着ているのか。なぜ学校指定のカバンをもたなければいけないのか。なぜ四十の机が同じ方向をむいているのか。勉強は別に嫌いではなかったから、授業は気にならないが、なぜ昼休みになるとみなで同じ食器をつかい、同じメニューの給食をとらなければならないのか。そうした疑問が頭の隅をかすめるたびに、雄吾は理由もなくへらへらと笑ってしまうのだった。

自分でもその笑いが一度でてしまうと、どうにもならなかった。目のまえにある世界から意味と色が抜け落ちて、すべてがわけもなくバカらしくなってしまう。中学校の最初の半年はなんとか切り抜けたが、二学期の後半から雄吾は学校を休みがちになっていた。

両親は共働きで、父の真治《しんじ》は出版社に勤め、母の亜希子《あきこ》は専門学校の講師をしていた。

進歩的な知識人とでもいうのだろうか。雄吾が学校のばからしさについて話すと、ふたりはすぐに理解を示してくれた。どちらの親も義務教育とはいえ、無理して学校にいけとはいわなかったのである。

だが、雄吾はその親の対応もまたどこかが違うのではないかと感じていた。ばからしさは理解してくれているのだろうが、両親は自分たちの生活は規則正しく律しているのだ。ふたりには家庭よりは仕事のほうが大切なようで、息子に対するのと同じようにお互いについても理性的で冷ややかな関係を維持していた。

母はマンションの鍵《キー》と昼食代をおいていってくれるし、父は学校にいかなくてもいいから本を読めといって、週に二冊ずつ課題の図書を選ぶのだった。今週はジュール・ヴェルヌの『十五少年漂流記』と幸田文の『流れる』である。漂流つながりだろうか。今も雄吾のカバンのなかには『流れる』の文庫本がはいっていた。文章は見事だけれど、十三歳の男子に芸者の置屋の話を読ませてどうしようというのだろう。

雄吾がいつも外で時間を潰《つぶ》すのは、部屋にいると快適すぎてしまうからだった。ひとりっ子だったので、さして広くはないマンションでも自分の個室があり、部屋のなかにはテレビもパソコンもCDラジカセも、ゲーム機もDVDプレーヤーもあった。マイナスイオンで空気を浄化してくれるエアコンも完備していた。学校でみなと同じことをするのが嫌だという雄吾の気もちは、社会問題化している引きこもりにも同様に反応した。日本全国で百万人を超える人間が、自宅に引きこもりになっていると新聞で読んだのだ。

雄吾は自分がとりたてて優れているとも、変わっているとも思わなかった。だが、百万人が選んだ回答を自分がなぞるのは、制服で学校にいくのと同じで嫌だった。そうやって中学一年生の冬を、不登校の屋外でっ放しとしてすごしていたのである。寒さは厳しく、手もちの金はわずかなので、避難できる場所も限られていた。雄吾は日が暮れるまでは、ひとり公園で冬の空気に身体をさらしていた。中学校から逃げだした自分に、なにか罰を与えたかったのかもしれない。

「ご使用していないテレビ、パソコン、ステレオ、洗濯機、冷蔵庫、電化製品なんでも無料で回収いたします。自転車、ミシン、編み機、ファックス、ご家庭にある不用品なんでもおもちします」

雄吾のいる児童遊園の外を荷台に錆《さび》の浮いた軽トラックが、杖《つえ》で歩く老人並みの速度で移動していた。植栽越しに目をやると荷台のうえには大型のブラウン管テレビと自転車がのせられていた。廃品回収の軽トラックは毎日午前と午後に一度ずつこのあたりの住宅街を流しているのだ。

繰り返しメガホンから流れるアナウンスもほとんど暗記してしまっていた。このクルマがくるということは、もうすぐ十一時半だ。雄吾はかじかんだ足でベンチから立ちあがり、公園から十五メートルほど離れたコンビニに昼食を買いにむかった。

自転車どめの柵《さく》をすり抜けて狭い一方通行路にでる。めずらしいことに七、八台の自動車が数珠《じゅず》つながりになっていた。新宿区だから都心の一部とはいえ、雄吾の住む新小川町は静かな住宅街である。めったなことでは渋滞などなかったのだ。

先頭のほうでは、どこかのタクシーが警笛を鳴らしていた。雄吾は関心もなく停止した車列の横をコンビニにむかった。渋滞の原因は、あの軽トラックだった。道端におかれた両開きの大型冷蔵庫をつもうと、男がひとりで奮闘している。ほとんど新品に見える淡いグリーンの冷蔵庫だった。

古毛布を荷台に敷いて、ななめに冷蔵庫を立てかけたが、重すぎて尻《しり》があがらないようだった。腕を組んで見ていた若い女性は、さっさと自分の家のなかに消えてしまう。

「なにやってんだ、ジジイ」

空車のタクシーの運転手が窓をさげて叫んでいた。軽トラックとタクシーのあいだをすり抜けようと横むきになったとき、雄吾と廃品回収の老人の目があった。

「お兄さん、いいところにきた。ちょっと手伝ってくれねえかい」

お兄さんとは誰のことなのだろうか。一瞬考えてから、雄吾はぼんやりと老人を見つめ返した。六十すぎくらいだろうか、老人というにはちょっと早いのかもしれない。建築現場で働く男たちが着るような襟にボアのついたジャンパーは、油や泥の跡が妙に生々しかった。ヤクルト・スワローズの帽子からこぼれる髪は、ほとんど真っ白で、髪の先には汗のしずくがさがっている。

「こづかいやるから、こっちにきて、冷蔵庫のケツをいっしょにもちあげてくれ」

雄吾は返事もせずに、ふらふらと軽トラックの後部に近づいていった。老人はしゃがみこんで顔を赤くしている。雄吾も中腰になり、反対側の角に手をいれた。

「いいか、いくぞ。踏ん張れ」

雄吾は息をとめて、両足と背中に力をいれた。全力で引きあげる。緑の大型冷蔵庫がゆっくりと地面を離れると、軽トラックの荷台が沈み、サスペンションの板バネが悲鳴をあげた。冷蔵庫が水平になると、急に重さを感じなくなった。老人は金で縁取られた前歯をのぞかせていった。

「いいぞ。あとは毛布のうえを滑らせておしまいだ」

冷蔵庫を積み終わると、老人は荷台の扉をあげて、雄吾に振りむいた。軍手を脱ぎ、ポケットからなにかをつまみだした。

「ほい、兄ちゃん、ありがとな」

緑色の冷蔵庫は廃品回収にだすとき、まったくふかれてはいなかったようだ。雄吾のてのひらは油で湿ったほこりで黒く染まっていた。老人がそこに金属の音を立てて、硬貨を落とす。汚れた手のなかにちいさな五十円玉が二枚光っていた。

「じゃあな。兄ちゃん、元気でな」

雄吾はなにもいえずに、ぼんやりと走り去っていく軽トラックを見送った。荷台のうしろに八坂《やさか》サービスと手描きの歪《ゆが》んだ文字ではいっている。渋滞はすぐに解消されて、ひと気のない静かな住宅街がもどってきた。雄吾はコンビニにいくと、カウンターでことわってトイレを借りた。手を洗いたかったのだ。

その日はカップラーメンとおにぎりひとつのいつもの昼食に、もらったばかりの百円で中華まんを買うことにした。児童遊園のベンチできれいにたべ終えるころには、あの老人のことなどすっかり忘れていた。

つぎの日も東京は快晴だった。曇りなく明るく晴れるほどに、寒くなっていくのはこの街の冬の不思議だった。雄吾はまた朝九時すぎには指定席になったベンチに座りこんだ。シベリアのほうから寒気がおりてきているらしく、北風はかみそりのように鋭く、少年の身体から熱を奪っていった。

中学校も、自分の部屋もきちんとあたたかいのに、なぜ自分はこうしているのだろうか。雄吾は意地を張るのもばからしいと思ったが、なぜかそれを笑う気にはなれなかった。目に力をいれて、誰もいない公園の景色をにらむだけである。コンビニの袋と誰かが忘れていった赤いスコップが残された砂場、スロープに泥のなすりつけられた滑り台、強風が吹くと金具が悲鳴をあげる古びたブランコ。広場の中央には時計をのせた金属の柱がぽつんと立っている。二月の午前中の公園には、ちいさな子どもたちの姿さえなかった。

もう寒いのだ。雄吾は思った。みんな、どこかあたたかな場所にいってしまって、自分だけがまだ遊び続けようと、こんな冷蔵庫のなかみたいに寒い公園でがんばっている。誰も見ていないし、誰も評価などしてくれないだろう。こうして砂場の脇のベンチに座り続けるうちに、自分のことなど忘れてくれたらいいのに。いつか自分の身体は寒さでこちこちに固まってしまうだろう。そうしたら公園によくある彫刻になって、いつまでも遊んでいる子どもたちを眺めてすごすのだ。

心と身体をしびれさせ、雄吾が座り続けるうちに、また遠くからメガホンの音がきこえてきた。雄吾は録音テープにあわせて、ちいさな声でつぶやいた。

「ご使用していないテレビ、パソコン、ステレオ、洗濯機、冷蔵庫、電化製品なんでも無料で回収いたします」

おかしな節のついた老人の声に続いて、公園の植えこみのむこうに白い軽トラックが見えてきた。もうこんな時間だったのか。ひとりで考えていると、時間は急速に流れたり、遅くなったりするのだった。公園の空に浮かんだ時計は十一時半になっている。

雄吾がコンビニにいこうとばりばりと音がしそうに固まった腰をあげると、廃品回収の老人が薄いドアに片腕をのせて、声をかけてきた。

「よう、昨日の兄ちゃん。あんた、いつも学校サボって公園にいるな」

それからなにもいわずに汚れた軍手で手招きした。雄吾が軽トラックに近づいていくと新聞紙の包みをわたされた。暖房の吹きだし口の近くにでもおいてあったのだろうか。包みは生あたたかかった。老人は金歯を見せて笑った。

「昨日の礼に、兄ちゃんの分までにぎり飯をつくってきた。気にせずにくってくれ」

雄吾は湿ってしわくちゃになった新聞の固まりを手に、初めて老人に話しかけた。

「あの、これおじいさんがつくってくれたんですか」

老人がおおきく笑うと、紫色の歯ぐきがむきだしになった。

「おいおい、やめてくれよ。おれはまだ六十二だぜ。おじいさんなんて年じゃあねえ。うちのには先にいかれちまってな。そいつはおれがにぎったんだ」

窓から手を振りながら、軽トラックはいってしまった。古い型の二槽式洗濯機を積んだうしろ姿に、雄吾はつぶやいた。

「ありがとう……ございます」

その日は缶いりのあたたかな緑茶を買って、もらったおにぎりで昼食にした。公園のベンチで新聞紙を開くと、なかには三角ではなく丸いおにぎりがふたつはいっていた。おおきさは夏みかんほどある。きっと海苔《のり》を切るのが面倒だったのだろう。丸々一枚つかって包まれていた。中身はどちらも同じ梅干だ。片方のおにぎりだけひどくしょっぱかったが、しっかりとふたつともたべ切った。

最後にお茶をのみ干して、雄吾は思った。ごはんだけのお昼なのに、なぜこんなに身体のなかがあたたかいんだろう。そのあたたかさは北風が吹き寄せるなか、つぎの三十分消えることはなかった。


翌日は東京の冬にはめずらしく、灰色の雲が厚く空をおおっていた。天気予報では、積もる恐れはないけれど、午後から小雪がちらつくといっていた。雄吾はしっかりと厚着をして、ベンチに座っていた。空は日が沈んだあとのように暗く、風はなくても身体の芯《しん》が凍りつくような寒さだった。雪が降りだしたのは、公園についてすぐのことである。風に乱されて無数の雪が空中に舞い、ひどくきれいだった。地面に落ちた雪はいつの間にか白さを失い、透明に角を丸めて消えてしまう。雄吾は凍えたまま、遥《はる》かな空からちいさな公園に降る雪を見つめていた。

あの軽トラックが公園のまえにやってきたのは、いつもより三十分も早い十一時のことだった。トラックがとまると、老人がおりてきて、公園の隅にある公衆便所をつかった。用を終えて車にもどる途中で、雄吾に気づいたようだった。

「なんだ、雪が降っても公園にいるのか。兄ちゃん、ほかにいくところはないんか」

ほかにいくところなら、いくらでもあった。雄吾はただ自分の意志で、このベンチにいるだけである。だが、老人にすべてを説明するのは面倒だった。雄吾は黙ってうなずいた。

「そうか、なら今日はおれのトラックにのらねえか。あのなかならあったかいし、景色が動くから退屈もしない。もちろん廃品回収は手伝ってもらうがな。どうだ、おれも毎日話し相手がいなくて、つまらねえんだ」

誰かに話しかけられたことも、なにかを誘われたことも、公園にきてから初めてだった。大人の人間と知りあうというのは、こんなに簡単なことなのだろうか。雄吾は立ちあがるといった。

「ありがとうございます。お邪魔させてもらいます」


軽トラックは座席のしたにエンジンがあるようで、座ったとたんにほっとするようなあたたかさだった。小雪の散る住宅街の路肩をハザードランプをつけたまま、歩くほどの速度でのんびりと流していく。新小川町、東西の五軒町、山吹町に早稲田《わせだ》鶴巻町に弁天町。どこか昔の雰囲気の残る新宿の下町を、雄吾と老人はとおりすぎた。

住民に呼びとめられるのは一時間に二、三度のことで、走る速度と同じようにゆったりとした仕事だった。老人は話し好きなようで、どんなことをして生きてきたかをおもしろおかしく話してきかせた。

「おい、うちのカカアの写真見せてやるよ」

老人はそういって、ハンドルから両手を離し、ジャンパーから財布をとりだした。ちいさな写真を抜いて、雄吾の目のまえに突きつける。色あせたカラー写真には、日本髪を結った着物姿の小柄な女性が写っていた。笑っているのはわかるが、顔の細部がはっきりしないフォーカスのぼけた写真だった。

「どうだ、美人だろう」

雄吾はうなずくことしかできなかった。

「こんな美人のカカアがいても、男ってのはしょうがないもんでな。ずいぶん女出入りで泣かしちまった。兄ちゃんはちょいとかわいい顔してるから、気をつけろよ」

手放し運転で写真を財布に収めるとき、ちらりと札いれの中身がのぞいた。十万円ずつ束ねられた紙幣がふた折。雄吾の表情が変わったのがわかったらしい。

「ああ、こいつか。昔の商売のせいで、まとまった金をもってないとなんだか落ち着かなくてな。兄ちゃん、ノミ屋って知ってるか。酒のむ店のことじゃあ、ねえぞ」

きいたことのない言葉である。黙っていると、老人はいった。

「なあ、兄ちゃん、そうやって黙っていられると、話をしてても張りがねえ。あーでもうーでもいいから、なにか返事をしてくれよ」

うーという代わりに雄吾はいった。

「ノミ屋はわかりません」

老人は金歯を舌の先でなめていった。

「そりゃあ、そうだよな。学校じゃあ絶対に教えてくれない裏稼業だからな。要するにJRAに無断で客に馬券を売って、儲《もう》かった分は全部ポッポにいれちまう仕事だよ。ギャンブルだからたいていは、胴元が儲かるようにできてるんだ。だけどな、一年に何回かはツキが落ちることがあってな」

信号の先で男が手を振っていた。老人は軽トラックをとめると、ドアを開けた。

「兄ちゃんもいっしょにきてくれ」

雄吾と老人は、男について真新しいマンションのエレベーターにのりこんだ。十七階で開いた扉をでると、屋根の波のうえに雪が降っている。風のない日の淡雪は、数百万という粒が空に静止しているようだった。

男に案内された部屋にあがると、リヴィングルームにはプラズマテレビがすでに設置されていた。つかわなくなったというワイドテレビも、三十二インチの高級品である。雄吾と老人はふらつきながら、廊下をもどった。

「近ごろの半分以上は、廃品回収じゃなくて、新品回収だな」

荷台にワイドテレビを積みこんで、また流しが始まった。老人はいう。

「さっきはどこまで話したかな」

雄吾は息を切らしていた。力仕事などめったにしたことはなかったのだ。

「ノミ屋をやっていてツキが落ちたときのこと」

老人は金歯をむきだして、笑いかけてきた。

「なんだ、兄ちゃん、ちゃんと話せるじゃないか。あのなツキが落ちるときっていうのは、ちゃんとまえぶれがあるんだ。ノミ屋でも一日のノルマがあるからな。あとひと息で目標額達成なんて日の最終レースがあぶねえ。またそんなときに限って、しびれるような馬券を買いにくる客がいるんだ。で、だいじょうぶだろうとのんじまうと、その馬がきちまう。しかたねえから、うちのカカアに電話して、あわてて銀行から何百万もおろしてこさせるんだ。ああいうのは、なんだな。どんなにわかっていても、避けられねえもんなんだな。黙って損するよりねえ」

十三歳の雄吾にとってノミ屋の話など夢物語のようだった。百万円という金額も考えられない大金である。それでもツキの話は、どこか自分にも理解できることのような気がした。雄吾は初めて自分から口を開いた。

「そういう悪い運て、あぶない勝負を受けなければ、だいじょうぶなんでしょう」

雄吾の頭のなかには、公園のベンチで座る自分の姿があった。あそこにい続けることで、自分はもしかすると、悪いレースのチケットを買わずにいるのかもしれない。

「わからんな。一度、兄ちゃんのいうとおり、あぶない勝負は全部おりたことがあったよ。だがな、そうするとしばらくはいいんだが、儲けのほうもジリ貧になっちまった。安全に安全にとやったつもりだが、あとでドデカイ一発をくらって沈没したしたなあ」

老人はなにを考えているかわからない顔で、雪のちらつく通りを見ていた。

「おれは兄ちゃんがどうしてひとりで公園にいるのかは、わからねえ。だけどな、ときには自分を折るのも大事だぞ。毎日すこしずつ負けておく。そうしておくと、最悪の事態はなんとか避けられるもんだ」

雄吾は自分の未来に起こりうる最悪を想像しようとした。しかしそれはうまく像を結ぶことができなかった。雄吾はまだなにかをほんとうにほしがったことも、失ったこともなかったのである。老人とは反対側の歩道を見ながらいった。

「あの、こういう仕事にもなにか資格が必要なんですか」

冗談でもきいたように老人は歯を見せて笑った。

「運転免許があればだいじょうぶだ」

雄吾は真剣にいった。

「じゃあ、ぼくはいつかこの仕事をやりたいです。ひとりでできるし、目立たないし。明日からも手伝わせてもらえないでしょうか」

老人は首を振りながらいう。

「かまわねえよ。でも、兄ちゃんはほんとに変わった兄ちゃんだな。名前は」

背筋を伸ばして、雄吾はいった。

「川本雄吾です。よろしくお願いします」

老人もハンドルをにぎりながら、頭をさげた。

「八坂源一《やさかげんいち》だ。おれのほうこそよろしくな」


翌日から朝九時半に公園で待ちあわせるのが、習慣になった。源ジイはろくにバイト代も払えないからといって、毎日おにぎりを用意してくれた。雄吾は助手席で、ときに課題の本を読むこともあった。源ジイは感心したようにいう。

「雄吾は本読むの速いんだな」

その週、雄吾の父の選択は坂口安吾の『堕落論』とジョージ・オーウェルの『パリ・ロンドン放浪記』だった。

「どうだ、どっか、おもしろいところはあるかい」

雄吾は読んでいた「青春論」の一部を読みあげた。

「『この政治家は子供に向かって、まともな仕事をするな、山師になれ、ということを常々説いていたそうで、株屋か小説家になれと言ったそうだ。』」

源ジイは車内に響く笑い声をあげた。

「そうか、山師か。そうなるとおれたちも、おえらい作家先生も変わんねえな。なんたって、こっちはのんびり流してるだけで、お宝のほうから声がかかるんだからな。なにがあたるかわからねえのもよく似てる」

雄吾と源ジイの奇妙なコンビは、一年で一番寒さの厳しい二月の二週間をのり切った。そのあいだ雄吾は、すこしずつ家庭環境と不登校の理由を伝え、源ジイは遠くに住む息子とひとり暮らしの日々を話した。

雄吾はこのまま中学を辞めてしまっても、源ジイの廃品回収の仕事を手伝っていけばいいのではないかとぼんやり考えていた。お金にはあまりなりそうもないけれど自由で、いつでも自分の好きな街を見ていられるのだ。悪い仕事ではなかった。

だが、そんな雄吾の計画を吹き飛ばすような出来事が突然やってきた。悪い運が楽しい日々の代償を取り立てにきたのである。

その日は朝から源ジイの顔色が悪かった。カゼ気味でどうも調子がでないという。雄吾は老人を運転に専念させ、代わりに自分がこまめに回収に動いた。不思議に調子のいい日で、午前中だけで荷台がいっぱいになってしまった。源ジイはいった。

「身体もだるいし、今日はこれまでだな」

そのとき走っていたのは、市谷山伏町《いちがややまぶしちょう》だった。小学校の横の立派な屋敷のまえにビデオデッキと小型テレビがおいてある。若い男が手をあげていた。軽トラがくるのを確認すると屋敷にはいってしまう。

「ついてるときは、こんなもんだな。あいつを最後に積んで今日は手仕舞いだ。こづかいやるから、雄吾は映画でも観にいきな」

飛ぶように助手席をおりると雄吾はデッキをもちあげて、軽トラックにもどろうとした。クラクションが鳴ったのはそのときである。めったにきくことのない軽トラのかん高い警笛だった。一瞬ではやまずに、ずっと鳴り続けている。

なんだろう、このビデオデッキは必要のない品物なのかな。雄吾は足早に荷台にデッキを積んで、運転席にまわった。そのあいだもやむことなくクラクションは鳴り響いている。通行人も怪訝《けげん》な顔で錆《さび》の浮いた八坂サービスのトラックを見つめていた。

運転席をのぞくと源ジイがハンドルに頭を垂れていた。額がクラクションを押しているのだ。意識はないようだった。雄吾は老人の肩をつかんで、頭をハンドルからあげた。静かになった住宅街に、今度は雄吾の声が響いた。

「源ジイ、源ジイ、どうしたの」

老人は目を開けなかった。意識がもどることもなかった。反応はない。倒れたときにぶつけたのだろうか、鼻の穴から血がひと筋流れているだけだった。雄吾は通行人の誰かれなく叫んでいた。

「携帯をもっている人、救急車を呼んでください。お願いします」

十分後には大久保通りを近づいてくるサイレンがきこえた。ドップラー効果は近づくほど周波数が高くなるのだっけ。生まれてから一番長い十分間をすごしたのに、頭のなかにつまらない雑学が浮かぶ。人の心というのはおかしなものだ。

救急隊員は雄吾にいった。

「この人の名前は」

「八坂源一です」

脈を取り、目を開いて光りをあてながら、八坂さん、八坂さんと隊員は呼びかけていた。ストレッチャーにのせられた源ジイが救急車に収容されると、隊員がいった。

「どういうご関係ですか」

「この人のところでアルバイトをしています。ぼくもいっしょにいきます」

雄吾はそういって生まれて初めての救急車にのりこんだ。

救急車がむかったのは一キロほど離れた厚生年金病院だった。救急治療室に搬送されるストレッチャーを見送ると、雄吾にはなにもすることがなくなってしまった。病院のなかは誰もがいそがしそうで、雄吾は老人の容態をきくこともできずに、廊下の長いすに座っているだけだった。

勇気を奮い起こして、治療室からでてきた中年の看護師に声をかけたときには、病院についてから二時間がたっていた。廊下のむかいの窓には熱のない冬の夕焼けが広がっている。

「あの、さっきここにきた八坂さんはだいじょうぶでしょうか」

看護師は雄吾をちらりと見ていった。

「お孫さんなの」

「違います」

雄吾は学生ズボンを見おろしながら、ちいさな声でいった。

「いっしょに働いている者なんですが」

「そう。患者さんは十五分くらいまえに意識を取りもどしています。すこしだけなら、顔を見にいってもかまいませんよ」

看護師は雄吾の身なりやカバンを見ているようだった。

「でも、あなたはまだ中学生よねえ。働くにはすこし早すぎるんじゃないかしら」

雄吾は看護師の質問を無視していう。

「八坂さんは、どういう病気なんですか」

看護師はしかたないという様子でうなずくと、口を開いた。

「脳血栓といって、脳の血管に血液の固まりが詰まってしまう病気。患者さんと面会したら、今日はもう帰りなさい。家の人が心配しているわよ」

雄吾はインテリア雑誌から切り抜いたような自宅マンションを思い浮かべた。七時近くまで両親は家に帰ることはないだろう。母の亜希子が十五分でつくる夕食は半分以上が冷凍食品だった。栄養はあるのかもしれないが、味も香りも漂白したように抜け落ちている。

雄吾は開いたままの扉を抜けて、救急治療室のなかにはいっていった。みっつあるベッドのうち左右両側だけが使用されていた。まんなかのベッドは無人で、きれいに白いシーツがかけられていた。患者のいるベッドは白いプラスチックのようなカーテンで目隠しされている。雄吾は源ジイが運びこまれた左手のカーテンに手をかけた。

「だいじょうぶですか」

うなり声とも、悲鳴ともきこえるような音がカーテン越しにきこえてきた。雄吾がすこしだけカーテンを開くと、老人は枕から頭を起こして涙目で見つめ返してきた。半日まえとはまったく違う力のない視線である。老人は右手をあげて、おにぎりをくれた日のように雄吾を招いた。左腕に点滴のチューブがテープでとめられていた。源ジイは鼻にはいった管のせいで話しにくそうだった。

「すまねえな。こんなことになるとは、自分でも情けねえや。兄ちゃんがいなかったら、どうにもならんところだった」

そういうと老人は右手だけでサイドテーブルにある財布を開いた。なかからでてきたのは、なくなった妻の写真である。裏返して雄吾に差しだした。

「ここに大阪に住んでる息子の電話番号がある。仕事でずっと関西でな。やつがくるまで、悪いが、こまごまとした用をやってくれないか」

源ジイはそれから他人でも見るように自分の左腕を眺めた。

「元気なら自分でやるんだが、身体の左半分がなんだかしびれちまって、まったく動かせねえんだ。どうなっちまったのかなあ。ぐうたらな身体だ」

老人はそういって、右手で左腕をなでながら、目をしばたかせて笑った。雄吾はいたたまれずにピンボケの写真を手に、公衆電話を探しに廊下へでていった。


翌日から雄吾の仕事は、廃品回収から源ジイのつきそいに変わった。電話を受けた老人のひとり息子は、仕事がいそがしくて週末まで東京にこられないといった。入院に必要な寝巻きやタオルや下着などは、病院の売店ですべて雄吾が買ってきたものだ。

入院二日目には、雄吾の両親も老人の見舞いに顔をだしている。源ジイはふたりのまえでは、雄吾のときとは別人のように話した。

「すみませんです。息子さんが毎日公園にいるものだから、つい仕事の手伝いなんかをさせてしまって。あげくの果てにこの始末です。天罰ってやつかもしれません」

真治は黙っていたが、亜希子が口を開いた。

「いいえ。うちの子もちょっと変わっていて。八坂さんの仕事を手伝うようになってから、家でもまえより明るくなっていたんです。このごろちょっと変わったねって、夫とは話していました」

源ジイは照れたように笑ったが、真治の声は真剣だった。

「残念ですが、雄吾はまだ中学生です。アルバイトとしてつかうのも、こうして血のつながりのない八坂さんを看病するのも、どういえばいいか、適切ではないと思います。雄吾のつきそいは、息子さんがおみえになる週末まででいいでしょうか」

上半身をベッドに起こした老人は、何度もうなずいてみせた。

「わかっております。そのあとは、ちゃんと雄吾くんはお返ししますから。ご安心ください」

その場にいた雄吾は、誰も自分の意見をきかないのが不思議だった。十三歳というだけで、透明人間にでもなったような気がする。口のなかでつぶやいた。

「同じじゃないか」

亜希子が振り返った。雄吾が今度ははっきりといった。

「同じじゃないかっていったんだ。どうせ公園のベンチにもどるなら、この病院の廊下の長いすに座っていても同じだよ。どっちにしても学校にはいかないんだから」

そのときベッドの老人が、腹から太い声をだした。

「おい、兄ちゃん。親御さんにそんな口をきいちゃいけない」

雄吾は三人の大人を交互に見てから、黙って病室をでていった。

つぎに病室にもどったのは一時間後のことだった。老人の機能回復訓練の用意をしなければならないのだ。ベッドサイドにはもう両親の姿はなかった。雄吾は車椅子に移る老人に手を貸し、長い廊下を建物の中央にあるエレベーターにむかった。

源ジイは正面をむいたままいう。

「親御さんの心配はもっともだ。だいたい息子でも孫でもない兄ちゃんが、下の世話までするこたはねえ」

下の世話といってもたいしたことはなかった。看護師がくるのが遅れたときに、尿瓶《しびん》をわたし、三分の一ほどはいった中身をトイレに流しにいくだけのことである。老人はそれでもひどくすまながっていた。エレベーターを待つあいだに源ジイはいう。

「なあ、兄ちゃん、おれと賭《か》けをしないか」

雄吾は意味がわからなかった。

「週末まではあと三日ある。おれは死ぬほどがんばってリハビリするから、おれが勝ったら兄ちゃんはおれのいうことをきく。負けたら、そうだな、これからもずっとおれの手伝いをさせてやる。これでどうだ」

雄吾はおかしな賭けだと思った。源ジイが勝ったらなにを自分にさせたいのだろう。老人の薄くなった頭にいった。

「いいけど、賭けの内容はなあに」

源ジイはあっさりという。

「病室から廊下の端にある便所まで、おれが自分の足で歩いていく。それができたら、賭けはおれの勝ちだ」

雄吾は息をのんだ。機能回復訓練は涙がでるほど苦しく、老人は何度も途中で挫折《ざせつ》していたのである。車椅子から立ちあがることもむずかしいのに、二十メートルもある病院の廊下を歩き切れるはずがない。

「わかった」

雄吾はそういうと、やってきたエレベーターに車椅子を押していった。

老人と雄吾の勝負は金曜日の夕方に決まった。前日までの三日間のリハビリでは、源ジイは手すりにもたれて立っているのが精いっぱいのようだった。ぶるぶると震える左足を見ていると、とても老人には勝ち目があるようには見えなかった。

決戦の金曜日には、老人は身体の調子が悪いといってリハビリ訓練を休んでしまっている。雄吾はもう賭けをやるまでもないと思っていた。別に賭けのゆくえなどどうでもよかったのである。どうせまた来週もこの病院にやってくるのだから。

黙って病室の窓から空を見ていた老人が、よしといったのは夕食が近づいた午後五時のことである。

「さあ、いくぞ」

雄吾があっけにとられていると、源ジイは毛布をまくった。

「なにをするの」

老人はいらついたような口調でいう。

「だから賭けだ。車椅子をもってきてくれ。病室をでてから便所までの二十メートルだ。勝負だぞ」

源ジイの目は倒れるまえの力を取りもどしていた。雄吾は気おされて、ベッドの横に車椅子をつけた。浴衣《ゆかた》のまえをあわせて、老人は椅子におりた。

「ほんとうにやるの」

「ああ。おれがどれだけがんばれるか見てろよ。全部、兄ちゃんのためだからな」

車椅子は病室をでると廊下の端に沿ってとめられた。この病院の壁には両側に手すりがついているのだ。老人は右手で手すりをつかむと、ゆっくりと立ちあがった。左腕と左足が震えていた。しびれるように冷たく痛むのだと、雄吾はきかされたことがある。

源ジイはゆっくりと左足をひきずりながら、歩き始めた。廊下の先にある窓のなかに夕日が沈んでいく。病院の白い廊下はさしこむ夕日で床も壁も天井も、赤く照り映えていた。赤い光りは廊下を越えて、窓の外まで続いている。住宅の屋根やマンションの屋上が沈む太陽の光りを浴びて、ひと筋の夕日へ続く道のように見えた。

あたたかな光りのなかを、老人は歯をくいしばって歩いていた。廃品回収の軽トラックほどのじりじりとした速度だった。雄吾はいつ源ジイが腰を落としてもいいように、車椅子を押しながらあとを追っている。

半分ほどすすんだところで、老人は立ちどまった。肩で息をし、額を壁に押しつけて、なんとか倒れないようにしているようだ。雄吾はいった。

「もう無理しなくてもいいよ」

「うるさい。最後までやらせろ」

壁にもたれた身体を正面にむけるだけでも、大儀そうだった。それでもなんとか右足を一歩まえにだした。

「でえじょうぶだぞ、手なんかだすんじゃねえぞ」

老人はまた足をひきずり、夕日の廊下を歩き始めた。最後の十メートルをすすむために、老人は途中で三回の休みをいれた。最後の休息では右腕一本だけで手すりにぶらさがる恰《かっ》好《こう》になり、ほとんど腰が砕けたようだった。

「なさけねえなあ」

源ジイは自分を笑ったようだった。ふとももをふるわせながら、そこから腰をゆっくりとあげていく。ようやく立ちあがり壁にもたれると、息を整えていった。

「ちゃんと見てろ。ほんの何メートルか歩くだけで、おれはもうふらふらだ。みっともなくて、だらしないだろ。いつも兄ちゃんがいってた『バカらしい』って、こういうやつだ。だがな、人間、どんなにバカらしくても、やらなきゃならねえこともあるんだ」

老人は手すりを伝うように、身体をななめにしてじりじりと前進を始めた。夕日は半分ほど東京のぎざぎざの地平線に沈んでいる。目に痛いほどの赤さだった。手を伸ばせばトイレの扉に届くところまできて、老人は背中越しにいった。

「雄吾、約束覚えてるな」

車椅子を押しながら、はいと雄吾は返事をした。涙で声が揺れないようにするのが精いっぱいだった。源ジイはいった。

「おれが兄ちゃんにやってもらいたいのは、ただひとつだ。おれの看病でも廃品回収でもなく、そろそろ中学校にもどってくれ。兄ちゃんの親御さんはインテリで、なにか理屈があるのかもしれねえが、やっぱり学校は大切だ。兄ちゃんは頭だっていいし、やさしいところもある。きちんと中学にいって勉強しろ。おれみたいになっちゃだめだ。ちゃんと勉強して、おれよりえらくなってくれ。世間を広く見て、おれやうちの息子より、立派な人間になってくれ」

源ジイはそういって、最後の一歩を足をひきずりながらすすんだ。男子便所の青い扉に指先がふれると、その場にへたりこんでしまう。雄吾はもうなにをしているのか、自分でもわからなくなっていた。泣きながら、老人を抱き起こし、車椅子に座らせる。

夕日が沈む窓のまえの長いすまで老人を押すと、雄吾は長いすに腰をおろした。ふたりは同じ夕焼けにむかって座った。源ジイはいう。

「来週から中学にちゃんといくんだぞ。きつかったら、休んでもいいけど、またちゃんと学校にもどるんだ。約束だからな」

雄吾は涙をぬぐっていった。

「でも、そうしたら源ジイはまたひとり切りになる。身体だって不自由なのに」

「だいじょうぶだ。こっちはなんとでもなる。雄吾がいってたバカらしさな、あれは大人だってみんな同じように思ってるんだ。でも、そのバカらしさに正面から反対するのも、バカらしい。みんな、どこかで無理して、まわりに調子をあわせてるんだぞ。兄ちゃんもちょっとは大人のふりをしてみな」

全身にあたる夕日は穏やかなあたたかさを残してくれた。窓の外に広がるひとつひとつの建物に、それぞれの暮らしがあるのが不思議だった。雄吾はいう。

「約束だから。学校にはいく。でも、この病院にもちゃんと、顔をだすよ」

「ああ、そいつは助かる。それとな、いい機会だから、競馬の必勝法をひとつ教えといてやる」

源ジイは横をむき、金歯をむきだしにして、雄吾に笑いかけた。

「パドックで馬を見て、これは立派な身体だなあなんてやつを買っちゃあいけねえ。いいか、最後に勝つ馬ってのは、こんなに細くてふらふらでだいじょうぶかなってやつなんだ。まあ、兄ちゃんは今日のおれを見て、そいつがよくわかったろうがな」

雄吾は競馬などまったく知らなかった。しかし、パドックの風景をテレビの中継で見た覚えはある。緑の芝のサークルをうつくしい馬が何頭も歩いていくのだ。いつか源ジイのリハビリが終わったら、ふたりで競馬場にいってみよう。そうしてアルバイトでためたおこづかいで、源ジイの必勝法を試すのだ。

雄吾は学生ズボンのひざに落ちる最後の夕日を眺めていた。廊下を夕食のにおいが流れてくる。雄吾は立ちあがると、病室にもどるため車椅子を押してゆっくりと歩き始めた。

ひとり桜

信濃川上《しなのかわかみ》についたのは、午後五時すぎだった。溝口邦弘《みぞぐちくにひろ》はつき立ったフロントウインドウからのぞくように夕方の空を見あげた。まだ暗くなるまではしばらく時間がありそうだ。間にあうかもしれない。邦弘はとてもなめらかとはいえない調子で国道141号線をゆく旧型ランドクルーザーのアクセルを踏みこんだ。

平日なので車の流れは悪くなかった。あせる気もちで数キロを走破し、いくつかある千《ち》曲川《くまがわ》の源流のひとつにぶつかった。あせりのなかには久しく会えなかった恋人と再会するような甘さもある。ランドクルーザーは橋の手まえの林道を右折した。白い立て看板は南《みなみ》牧村《まきむら》と読めた。このまま上流へさかのぼれば、天狗岳《てんぐだけ》につきあたるはずだ。左手には幅四、五メートルほどの泡立つ流れが、新緑の木々のあいだに見え隠れしている。

わだちが深く刻まれた砂利道を、オフロード車は硬いのり味で飛ばしていく。ようやくこの車が本領を発揮する場所にきたようだった。邦弘のランドクルーザーは鉄板を折り曲げてつくったごつごつと角の張ったデザインである。この手の車に誰も見てくれのよさなど求めない時代の産物なのだ。悪路走破性を高めるためボディは頑丈無類で、これでもかというくらいのスポット溶接が施してある。

二十分ほど林道をのぼると、流れはおおきく右にうねっていた。とうとうついた。一年ぶりだ。記憶のとおり左手の山側が削られ、対向車のゆき違い用の待避スペースができていた。邦弘はランドクルーザーをそこにとめると、急いで車をおり、リアゲートを開いた。上流の西の空で夕焼けが始まっていた。天狗岳は淡い紅の空に、鋭く灰色の頂をつき刺している。邦弘は光りの残っているうちに今年のスタートを切りたかった。時間との勝負である。機材が積みあげられたトランクから、三脚と大判カメラを取りだした。レリーズと露出計、ピントグラスと四倍ルーペなどの小物を、自分で工夫してすえつけたプラスチック製の衣装ケースから抜く。ほんの四、五年まえまではルーペなど必要なかった。裸眼でピントグラスをのぞいて、それできちんとピントがきていたのだ。いつまでも若いと思っていても、邦弘も四十をすぎていた。

撮影機材を肩に、川原へおりていった。そこは自動車ほどの岩塊が転がる狭いガレ場である。岩の頭を跳んで簡単にわたれる幅数メートルほどの急流のむこうに、邦弘の七年来の恋人が待っていた。白っぽい花崗岩《かこうがん》の岩場に立つソメイヨシノの若木である。枝先は垂れずに、そりかえって夕空をさしていた。手を伸ばし、空をつかもうとしているようだ。七年まえよりほんのわずか背が高くなっている。このあたりのガレ場は土がやせているのだろう。一本桜は孤独に耐えてじっくりと生長しているようだった。邦弘は三脚をすえて4×5の大判カメラをセットした。もう数十分もすればあたりは暗くなるだろう。頭から冠布《かんぷ》をかぶり、方眼紙のように黒い格子が刻まれたピントグラスをのぞいた。

荒涼とした岩場のなかにまっすぐ若木は立っていた。九分ほどつつましい花を咲かせている。色は淡かった。明日か明後日が、この木の短いシャッターチャンスだろう。桜はしたのほうの枝から咲き、しだいに花が木をのぼっていく。てっぺんの枝が満開になるころには、すぐに下枝は花を散らしていくはずだった。フレーミングを決定してから、フィルムホルダーをセットする。写真に撮って美しく人気が高いのは、満開の初日か二日目の桜である。まだそれまでにはわずかな時間があるが、今年もこの一本桜から花のシーズンを始めることができた。

邦弘はなにかに感謝したい気もちになって、そっとにぎりしめるようにレリーズを押した。リンホフマスターテヒニカのおおきなシャッター音が、せせらぎを断ち切るようにあたりに響く。そのまま八枚撮りのクイックチェンジャーが空になるまで、暮れていく空と競争するように岩場に咲く花の木を撮り続けた。春の山、夕空、川の流れ、白い岩場と一本の若木。天地に存在するのはそれだけである。世界はこれほど単純な形で、十分に満たされている。

誰もがもっているイメージからかけ離れた淋《さび》しい夕景の桜など、さして商売にならないことはわかっていた。豪勢に咲き誇る名木でも、雲のようにあたりを覆う桜の群生でもないのだ。だが、初めて自分の桜を撮影できたと実感したこの若木を、邦弘は今でもありがたいと思っていた。満開の桜を追って北上する二週間の撮影旅行、毎年そのスタートはこの名もないひとり咲きの桜から始めることにしていたのだ。なにも初日からビジネスばかり考えることはない。

邦弘が冠布をはねるとその声がした。

「きれいな桜ですね」

自分がそこにいることで驚かせたくないという抑えた調子の声だった。それでも邦弘はびくりと肩を震わせ振り返った。なにもいえずに声の主を見つめる。ジーンズに紺色のダッフルコート、白いマフラーは腰のあたりまで垂れている。小柄でやせた女性だった。三十代の始めというところだろうか。邦弘は薄暗い岩場に立つ女性に対岸の若木と同じ雰囲気を感じた。孤独に耐え、ひとり立つ、清涼な空気感である。

「撮影の邪魔をしてしまったらごめんなさい。どうぞ続けて」

邦弘はホルダーをカメラからはずした。腕時計を見る。もう午後六時をまわっていた。

「今日は初日だから、挨拶《あいさつ》代わりで終わりです。このあたりにお住まいですか」

彼女はわずかに笑った。だが、それは逆に女の印象を悲しくするようだった。

「いいえ、旅の途中です。今日の夕方、旅館についたのですが、暗くなるまえにひと目でいいからこの桜の木を見ておきたくて。タクシーできたんです」

邦弘は自分以外にこの一本桜をそれほど気にかける人間がいるのが不思議だった。ここは花の名所ではない。地元の人間以外、誰もこの木のことは知らないのではないだろうか。林道の待避所を見あげると小型タクシーが白く排気ガスをもらしていた。邦弘はいった。

「旅のかたがなぜこの木のことをご存じなんですか」

女はちらりとタクシーを振り返った。東の空はすでに夜の色に変わっている。

「話すと長くなりますから。旅館の人に七時の夕食までにはもどるようにいわれているので」

女は邦弘から流れるように視線を動かし、夕暮れのなかで花の白さを冴《さ》え返らせる桜の若木を見つめた。距離にすればほんの十メートルほどである。だが、手の届かない遥《はる》かな存在でも見るように、遠い目をしていた。これはあこがれだろうか、それともあきらめなのだろうか。邦弘は言葉を失って、桜を見る女を眺めていた。

「お先に」

女は邦弘に会釈するとガレ場をもどっていった。揺れる白いマフラーが少女のようだった。タクシーがヘッドライトをつけて林道を走り去るのを確認する。邦弘は空を見あげた。対岸の山の背に満月から十日目の三日月がかかっている。仕あがりのフィルムでは花は墨っぽくなってしまうが、まあいいだろう。新たなフィルムホルダーを用意すると、邦弘はカメラをつけた三脚を肩に対岸にわたった。

その夜は寝袋にくるまり、ランドクルーザーのトランクルームで眠った。夕食はレトルトの八宝菜をパック詰めのご飯にかけただけで済ませた。レトルトをあたためた残りの湯でレギュラーコーヒーをいれ、そこにバーボンをたっぷりと垂らして食後の楽しみにする。春とはいえ山の夜はかなりの冷えこみだった。若いころのようにどこでも、どんな寒さでも眠れるということは、最近の邦弘にはなくなっていた。

翌朝は鳥の鳴き声と川の音で目を覚ました。寝袋をはいだし、こちこちに張った背中をストレッチで伸ばすと、すぐ川原におりていった。あの若木にあたる光りの具合を確かめたかったのである。空は薄曇りだったが、朝早くから晴れていると午後になって天気が崩れることが多かった。一日中野外にいる邦弘には空模様を読む勘があった。今日は上々である。昼まえにはきれいに晴れて、たくさんの光りが花を照らしてくれるだろう。

流れの縁までくると一本桜を見た。九分九厘の咲き具合だった。この若木の場合、満開よりほんのわずかまえがベストのタイミングである。対岸の山の斜面から春霞《はるがすみ》がおりて、背景は白いホリゾントのように煙っていた。朝日がもうすこしあたれば、この見事な霞は消えてしまうだろう。邦弘は食事をあとまわしにして、その日最初の撮影を開始することにした。

午前中は力のある日ざしのなかあれこれとアングルを変えて、一本桜を撮り続けた。午前の日光にはのぼり坂の勢いがある。露出計が同じ値を示しても、午前と午後では光りの調子がまったく違うのだ。

邦弘の桜の場合、やはり午前の硬い光りが似あいだった。昼食は前夜の残りの冷や飯とカップラーメンだけである。それもピントグラスをのぞきながら手早く済ませる。食事ではなく単なる栄養補給なのだ。味になどかまっていられなかった。

一心不乱に写真を撮っていた邦弘がひと息ついて、コーヒーをいれたのは午後二時すぎだった。昼近くなって気温は上昇し、厚いコットンフランネルのシャツを袖《そで》まくりしても、まだ汗ばむほどだった。日ざしを受けてカイロのように熱をもった川原の石に腰かけ、若木を見つめた。七年間も同じ木を見ていると、植物の感情もわかるような気がしてくる。今年の冬は例年になく厳しかった。たとえ満開の花をつけていても、この桜はここ数年で一番厳しい表情をしているようだ。

「お邪魔してもいいですか」

今度はあわてることはなかった。邦弘は一拍おいて振り返り、昨日の女性に声をかけた。

「熱心ですね。そんなにこの桜はいいですか」

女は前日と同じジーンズにコート姿だが、肩にはショルダーバッグを、手には折りたたんだブランケットとポットをさげていた。どうやら長居するつもりなのだろう。邦弘はすでに仕事の山場を終えていた。これから夕方まではアングルを変えて、もう数ロール撮ることができれば十分だ。うなずいて女はいった。

「ええ、この桜は特別です。人間て一本の花の木に命を救われることがあるんですね」

女はまた遠い目で若木を見やった。命などという重い言葉を、力もこめずに淡々とつかう相手に邦弘の好奇心が動いた。女は数歩離れた白い石のうえにブランケットを広げると、荷物をおいた。うわ目づかいで邦弘を見て、薄く笑っていった。

「あの、ここで花を見ていてかまわないでしょうか」

邦弘は額がきれいな人だと思った。女は流れに磨かれた玉石のような額をしている。

「どうぞ、ここは誰の土地でもありませんし、こちらも勝手に無粋な仕事なんかしているので、お気楽に」

女はひざかけをのせて、ブランケットの端に座った。ショルダーバッグからなにか取りだしている。それは白木のフレームの写真立てだった。中央で折りたたむようになった大ぶりのものである。女はフレームを六十度ほどに開くとブランケットのうえに立てかけた。二枚の写真が対岸の若木にむけられた。

一枚は邦弘が最初の年に撮ったこの桜の写真だった。どこかのカメラ雑誌の切り抜きか、ポストカードをそのままフレームにいれたようである。だが、おかしなことにその写真はふたつに裂いてあった。つなぎ目には不器用にメンディングテープが貼られている。それは邦弘が最初に自分の桜を見つけた自信作だ。一時期あちこちの雑誌や広告で広くつかわれていた。

対向面は三十歳ほどの若い男の写真だった。なんでもない白いシャツに黒いネクタイの襟元をゆるめ、窓辺にもたれカメラを見つめている。なにか気のきいた台詞《せりふ》でも思いついたのだろう。冗談をいいかけた途中のような明るい表情のスナップ写真だった。賭《か》けてもいい。この写真を撮った人間は、この男の一番親しい存在で、カメラのレンズをむけられてもまったく気をつかわずにすむ相手なのだろう。恋人か、妻か、愛人。視線のなごやかさから撮影者が女性であるのは間違いない。フォトスタンドを見た邦弘の表情に女は気づいたようだった。

「カメラマンの溝口邦弘さんですね。自己紹介が遅れてすみませんでした。わたしは長尾《ながお》三枝子《みえこ》といいます。この写真は……」

三枝子は写真立てを手にするとダッフルコートの袖口で男の顔をふいた。

「……夫でした。長尾英次《えいじ》です」

邦弘は金属製のカップを石のわきにおいた。いきなり自分の名を呼ばれた驚きを隠し、すぐに反応する。

「なぜ、わたしの名前を知っているんですか」

三枝子はまた悲しい笑顔を浮かべた。

「レンタルフォトの会社にいきましたから。この写真をのせていた雑誌の編集部に電話して確かめたんです」

邦弘の仕事は風景写真家だった。日本各地で風景を撮影しては、雑誌やカレンダーなどの印刷物用にポジフィルムを貸しだすスタジオにもちこむのである。一枚が四、五万円から、おおきなスポンサーの広告などに使用されれば二十万円を超える収入になることもあった。さして豊かではないが、細々と好きな写真でくうことはできた。このところの不景気は邦弘には追い風だった。新たな撮影を組む予算のない広告や記事では、勢いレンタルフォトの出番が多くなるからだ。邦弘はいった。

「コスモフォトにいったんですか」

そこは都内に十軒ほどあるレンタルフォトの大手で、邦弘は桜の写真をそこに優先的にもちこんでいる。事務所では山、川、海などと分類されたファイルボックスが壁の三方を埋め尽くし、無数のポジフィルムからデザイナーは好きなものを選んで借りることができるシステムだった。フィルムをいれた紙のホルダーには、著作権を有するカメラマンの名前が通常スタンプで押してある。邦弘の名も当然そこにあった。また撮影地の場所もほとんどの場合記入されていることが多かった。観光パンフレットなどでは、よその土地の写真はつかえないからだ。三枝子はうなずくと、桜の若木を見あげた。

「夫は溝口さんが撮った写真が大好きでした。この桜の写真を枕元に飾って、いつも眺めていたんです。いつか退院できたら、絶対にこの桜の木に会いにいくんだといっていました。溝口さん、ありがとう。うちの人は一度はほんとうにあの写真で命を助けられたことがあるんです」

邦弘に言葉はなかった。写真を撮ることが、自分の仕事である。この若木にどうしようもなく魅せられて、夢中でシャッターを切ったにすぎない。それももう七年も昔の話だった。三枝子は遠い目をしたままいった。

「三十歳になったばかりの健康診断で、夫の身体に異変が見つかりました。膵臓《すいぞう》にさした灰色の影です。入院も手術も二週間のうちにばたばたとすぎていきました。やるべきこと、用意することが多くて、悲しんだり不安になったりする時間はありませんでした」

何度も人に話しているのだろう。三枝子はすべるように口にした。なにかをいうべきだと思ったが、邦弘にはなにも言葉が浮かばなかった。ありふれた悔やみをいう。

「お気の毒でした」

三枝子は当時のことを思いだしたのだろうか。また薄く笑った。春の午後の日ざしのなか、事情を知らない者が見れば幸福の笑顔に見えたかもしれない。

「つらかったのは、手術のあとでした。膵臓のすべてと転移していた肝臓の三分の一を摘出して、手術は終わりました。それからは二週間に一度の抗ガン剤が始まりました。吐き気と悪寒。副作用で負担の重くなった腎臓《じんぞう》が弱まって、食事のたびにインシュリン注射をしなければなりませんでした。そのころ春の旅のムックで、夫が溝口さんの写真を見つけたんです」

荒涼とした岩場に立つ一本の桜。そこで新たな花を咲かせるやせた若木の生命力に、三枝子の夫は魅せられたのだろうか。一枚の写真は作者の手を離れて、見る人すべてのものになる。邦弘は頭のなかでつねづねそう思っていたが、その実例をこれほど強烈に思い知らされたのは初めてだった。若い患者の将来を想像するのが息苦しくなり、邦弘はとっさに口にしてしまった。

「ご主人は助からなかったんですか」

三枝子は傷つくことには慣れているようだった。

「だめでした。遠く離れた肺と咽頭《いんとう》への転移が見つかったのは、十カ月後のことです。夫は荒れました。この写真が破れているのは、そのせいなんです。もう一度つらい手術をして、苦しい薬に耐えるくらいなら死んだほうがましだ。そういって病院で泣きました。わたしはベッドの横に座っていても、手をにぎることさえできなかった。夫はふれられるのを全身で拒んでいたんです。ひどい夜でした」

涙目になっても三枝子の微笑は変わらなかった。目のしたのふくらみがやわらかそうだ。川の音が低くきこえる。川面《かわも》の近くで透明な羽虫が群れていた。

「でも、あの人は強い人でした。つぎの朝にはこの写真は今あるようにテープで直されていました。明け方に仮眠から覚めたわたしに、夫がいった言葉は忘れられません。この木だって、誰に知られることもなく咲いている。きっと厳しい冬の時期だってあったはずだ。ぼくももうちょっとがんばってみる。いつか退院したら、この桜を見にいこうな」

三枝子は泣きながら笑っていた。邦弘はぽつりといった。

「ふたりでこの桜を見ることはできたんですか」

首を横に振ると、三枝子は意外におおきな音を立てて鼻をかんだ。

「でも、不思議ですね。わたしたちは大学時代の同級生で十二年もつきあっていたのに、実際に一番しあわせだったのは、再手術のあとの二年間だったんです。病気のせいがおおきいのかもしれないけれど、わたしたちはぴたりと心も身体もフィットしていました。自分と他人の区別はありませんでした。男と女の違いもありませんでした。どちらかがなにかを望むと、それがすぐにもう片方にとってなくてはならないことになる。周囲の人たちから元気づけの言葉をもらっても、ふたりだけになるとおかしくて笑ってしまうんです。わたしたちがしあわせだってことが、なぜ健康でいそがしそうなあの人たちにはわからないんだろう。わたしたちは望むものをすべてもっているのに、なぜみんなうらやましいって思わないんだろう」

上流のほうから緑の斜面を波打たせ、突風が吹き寄せた。ひとり咲きの若木は枝先を揺らしたが、花びらのひとつのこぼれもなく強風に耐えた。ガンの話ではゆるまなかった邦弘の涙腺《るいせん》は、幸福な夫婦の最後の日々に優しく溶かされてしまった。人に交わるのが嫌いで、自分は四十まで独身をとおしてしまった。何人かつきあった女性とは、結婚の話がでるたびにこちらから冷たく縁を切ったのである。目を細めてにじんだ涙を隠し、邦弘はいった。

「そうですか。それはうらやましい」

三枝子は涙をぬぐって笑った。

「痛みどめのいい薬もありましたし、再手術もうまくいきました。結局あの人はガンには負けなかったんです」

邦弘はただうなずくだけだった。三枝子を見ていることができずに、日のあたる岩場に立つ一本の桜に目をやる。そのときほどこの花の白さが胸をうったことはなかった。三枝子は淡々といった。

「半分を取った肺が弱くなっていたんでしょう。夫は手術から二年後の冬に急性肺炎を起こしました。以前はあれほど長く入院していたのに、最後のときは三日間しか病院のベッドにはいませんでした。もう再々発はない。いつでもこの木に会いにいける。そう思っているうちに、亡くなったんです。結局あの人はこの桜を見ることはできなかった」

三枝子はもう泣いていないようだった。邦弘と同じように対岸の若木を見あげているだけだ。

「あの人が死んでからが、わたしには一番つらい冬のときでした。ここにくるまで、三年もかかってしまった。南牧村の地名はわかっていたんですが、心が凍ったままで旅にでる気にはなれませんでした。今度の春になったらいこう、毎年そう思っていたんですけど」

邦弘は三枝子の声をきき、ただ桜の花を見つめていた。光りのなかで若い木が枝先を空に張りだしている。花は枝の空側にしかついていなかった。これほどの力を振り絞って、なぜ多すぎるほどの花を咲かせているのだろう。毎年のように撮影しているのに、撮るほどわからなくなるのが桜だった。三枝子は感情を抑えた声でいう。

「初対面でこんな話をしてしまってすみません。溝口さんの写真が好きだったものですから、なんだか初めての気がしなくて」

邦弘は夫をなくしたという女性になにかしてやれることはないかと考えていた。自分には金はない。気のきいた言葉を思いつくほどの知恵もない。思いついたら、自然にいっていた。

「ツーショットの写真を撮りませんか。女性でもむこう側にわたるのは簡単です。あの桜の木のしたに立ってください。この木に会えた記念に写真を撮ります」

三枝子ははしゃいだ声をだした。

「いいんですか。わたしみたいなのが、プロの写真家に撮ってもらうなんて」

「別にわたしだって女性の写真についてはアマチュアと同じです。まるで専門外だから」

邦弘はうなずいて、腰をあげた。三脚まで歩き、黒い冠布をかぶった。三枝子はバランスを取るように両手を開き、スニーカーの足元で流れのなかに頭をだした岩を伝っていく。ピントグラスのなかでは、実際の世界よりも何倍も精密なイメージが映しだされていた。三枝子は子どものふとももほどしかない幹に寄り添うように立った。先ほどの話によるともう三十代なかばのはずだが、化粧気が薄いせいかやはり少女のように見えた。淡い桜と濃紺のダッフルコートにジーンズ姿の三枝子の取りあわせには、どこか卒業写真に似た澄んだ雰囲気がある。冠布をはずして、レリーズをにぎった。対岸に声を張る。

「リラックスしてください。無理に笑わなくてもいいです。いきます」

レリーズを押して、最初のシャッターを切った。三枝子はカメラをとおり越して遥《はる》かな場所を見ているようだった。超然とほほえんでいる。邦弘はつぎの一枚の用意にかかった。太陽はようやくかたむいて、午後の光りはまろやかにふたりと一本の木のいる川原に降り注いでいた。二枚目を撮り終えると、邦弘は三枚目の撮影を準備した。

人を撮るのは数年ぶりだった。だが、三枝子のような女性ならそれも決して悪くはなかった。

午後はゆっくりとすぎた。邦弘は写真を撮り、三枝子はブランケットに座って、邦弘の作業を眺める。邦弘もぽつぽつと、これまでの半生についてもらしていた。実際に話してみるとよくわかるのだが、邦弘の人生には実になにもなかった。家族はいない、恋人も妻も子どももいない。好きな仕事と貧しいけれど自由な生活があるだけだ。人生の折り返し点まできて、自分が手にしているものを思うと、邦弘の気分は沈まざるを得なかった。それでも三枝子はなにもない邦弘の生活を、素敵な生きかただといった。誰でもそうなのだが、自分の暮らしのいいところは、当人には決してわからないのだそうだ。

上流の天狗岳から光背のように夕日がさす時間になった。三枝子は夕景の桜の美しさに声をあげた。

「なんだかこの木、すこし酔っているみたい。豪華な感じですごくきれい」

邦弘は冠布のなか、ルーペでピントを確認しながらいった。

「見るのと撮るのは、まったく違います。夕方の桜は見るときれいだけど、写真には写りません」

三枝子は不思議そうに花びらのひとつひとつを夕映えに染める若木を見あげていた。

「どうしてですか」

邦弘はレリーズをにぎった。

「カラーのリバーサルフィルムってね、印刷にはいいんですけど、微妙な中間色の再現性が悪いんです。たとえば曇り空や夜明けの空を背景にした桜がわたしはすごく好きだけど、淡い灰色を背にした淡いピンクなんてフィルムには写らない。どちらも濁った色になって混ぜこぜになってしまうんです」

気あいをいれてシャッターを切った。なぜかこうすると力のある写真が撮れるような気がするのだ。三枝子は自分まで酔ったように夕日のなかの桜を見つめていた。邦弘はフィルムホルダーを交換しながらいった。

「でもね、ほんとうにきれいなものが写真には写らないのが、わたしはいいことだなって思う」

三枝子も夕日のなかにいた。邦弘が最初に美しさに気づいた額にもあたたかな日がさしている。三枝子は視線だけで、どうしてと疑問を伝えてきた。風が吹いて枝先を揺らした。花びらの震えが収まるのを待って、つぎのシャッターを切る。邦弘はいった。

「美しいものがすべて、記録されて、印刷されて、世のなかに広くでまわるなんて、つまらないじゃないですか。どんなにいいカメラでも、腕のいいカメラマンでも手がだせないところがある。それでいいと思います。こんな仕事をしていて、そんなふうに思うのはおかしいかもしれないけど」

三枝子はふっと笑った。邦弘はこの人のほんとうの笑顔を初めて見たと思った。自然に口が軽くなっている。

「今日は帰りはどうするんですか。昨日みたいにタクシーはきていないようだけど」

三枝子はダッフルコートのポケットから携帯電話を取りだした。ストラップには桜ん坊が揺れていた。

「タクシー会社に電話して、きてもらうことになっているんです」

邦弘はさりげなくきこえるように声の調子を整えた。

「なにもタクシーなんて呼ぶことはない。あのおんぼろクルーザーでお送りしますよ」

「うれしい」

三枝子ははずんだ声をだした。

「旅館はどちらですか」

「渋川《しぶかわ》温泉です」

その温泉なら邦弘もよく知っていた。天狗岳のちょうどむかいの位置にある。ふもとを迂回《うかい》して林道を十数キロというところだろう。信州には無数にある武田信玄の隠し湯のひとつである。邦弘はカメラ機材を片づけ始めた。三脚を肩に川原を歩いていく。半分ほどもどったところで、うしろを振りむいた。三枝子はまだぼんやりと同じ場所にいた。

「暗くなるまえに着くなら、早くいきましょう」

林道には夜間の照明がほとんどなかった。両手を胸のまえで組んで祈るように三枝子は立っていた。

「あの溝口さんも温泉にはいりませんか。オフシーズンだし、旅館は空いているんです。もうすこし話ができたらと思うんですけど」

邦弘は三日間風呂《ふろ》にははいっていなかった。無精ひげも伸びてきている。自分もこのまま三枝子と別れてしまうのは心残りだった。彼女には勇気があると思った。ふざけた調子でうれしさをごまかす。

「だんだん自分の身体のにおいが気になっていたんです。風下にいるとくさくないですか」

三枝子は子どものように首を振った。白いマフラーの先がおおきく跳ねる。

「じゃあ、わたしから予約をいれておきます。一泊でいいですよね」

「はい」

今度は邦弘は振り返らなかった。堤防に続く道を三脚を肩にのぼる。ランドクルーザーに機材をもどし、ストラップでしっかりと固定すると、助手席のロックをはずしてやった。三枝子は息を切らせて、座面の高いオフロード車にのりこんできた。邦弘の車に同乗者がいるのは、もう半年ぶりのことである。

旅館に着いたのは午後六時近くだった。思いのほかおおきな宿で、フロントもロビーもかなりの広さだった。邦弘は着替えだけ詰めこんだこぶりのデイパックを肩にチェックインした。三枝子は窓のむこうに日本庭園の見えるソファに座り、宿帳に記入する邦弘を待っていた。仲居に部屋を案内される途中で、三枝子は別な角を曲がっていった。壁にさげた一輪ざしでは季節はずれの桔梗《ききょう》が淡くしたをむいていた。軽く頭をさげて三枝子はいった。

「晩ご飯のまえに温泉にはいります。七時に食堂で」

邦弘は三日ぶりの温泉にゆっくりとつかり、ひげを落とした。浴衣《ゆかた》に丹前姿で食堂にいくと半分以上の客はすでに食事を終えているようだった。三枝子がなにか旅館にいったのだろう。邦弘と三枝子の膳《ぜん》はさしむかいになっていた。ビールを一本もらいひとりでやっていると、時間ちょうどに三枝子がやってきた。

湯あがりの三枝子は頰を上気させていた。長い髪はうしろで束ねられ、額も髪の生え際も美しかった。少女のようだという印象がますます強くなった。邦弘はビールをさしだした。

「一杯やりませんか」

三枝子は笑って首を振った。

「ぜんぜんだめなんです。コップに一センチでまっかになって寝ちゃうんです」

温泉の夕食は品数だけがいたずらに多く、どれも感心するほどの味ではなかった。だが、邦弘は食通ではない。あたたかいご飯と味噌汁《みそしる》があれば、それで十分の人間だった。三枝子は料理の半分ほどしか箸《はし》をつけなかったが、邦弘はすべてきれいにたいらげた。三枝子の残した刺身の小皿を譲り受けたりする。

ふたりの会話はよくはずみ、いつしか学生時代や子どものころの話になった。仲居がふたりのそばでひざをついていった。

「そろそろお時間でございます」

気づいてみると広い食堂で残っているのは、邦弘と三枝子だけだった。ふたりは仲居にごちそうさまといって、長い廊下をもどった。先ほどの桔梗の一輪ざしの角で邦弘は会釈した。

「今日は楽しかった。おやすみなさい」

三枝子はほほえんでうなずいた。邦弘は自分の部屋へ数歩むかってから、背中になにか感じて振りむいた。三枝子はまだ同じ場所に立ってこちらのほうを見ていた。どこか怒っているような厳しい表情である。邦弘がなにか言葉をかけようとするとすぐに、三枝子は藍染《あいぞ》めの丹前をひるがえして廊下の奥に去っていった。


その夜は妙に目が冴《さ》えていた。布団にはいっても眠れずに、邦弘は障子を開けてガラス越しに夜の庭を眺めた。日本人はよほど桜が好きなようだ。坪庭といってもいいほど狭い中庭に無理やり形を整えられたちいさな桜が植えられていた。それでも細い枝先には成木と変わらない花をびっしりとつけている。邦弘は明かりを消したまま夜の木を眺めていた。

そなえつけの電話が鳴ったのは夜十一時まえだった。取るまえから邦弘には相手がわかっていた。なにもいえずにいると、思いつめた三枝子の声が耳元でした。

「鍵《キー》を開けて待っています。お願いします」

邦弘はいきなり切れた床の間の電話をしばらく見つめていた。部屋をでるまえに夜の庭を見て心を静めた。なにも考えずにいくのがいいと思った。部屋の鍵をもって桔梗の一輪ざしの角を曲がる。長い廊下に点々と電球を仕こんだ和紙の灯籠《とうろう》がおかれていた。三枝子の部屋のまえに立つと、ノックはせずに引き戸をひいた。あがりかまちに立って低く声をかける。

「失礼します」

邦弘がふすまを開けると、小柄な影が飛びついてきた。夜のなか必死の目で三枝子は見あげてくる。目をあわせたまま、かすれた声でささやいた。

「いいようにつかってしまってごめんなさい。でも、お願いします」

邦弘は鍵を畳に落とすと両腕を三枝子にまわし、意外に豊かな背中を抱きしめた。

初めての相手のときはいつもそうなのだが、邦弘はとても慎重だった。荒々しい動きは封じて、自分の感覚のなかにある一番かすかなふれかたを続けた。それは三枝子の身体がいつになっても硬いままで、ときおり痛みを訴え、なかなか用意が整わなかったせいであるのかもしれない。

暗い部屋の底で探るような動きを続けていると、邦弘はあの写真立てに気づいた。隅に寄せられた座卓の角にちょうどこちらをむくようにおいてある。半分に裂いてからつなげられた一本桜と亡くなった三枝子の夫の写真である。おかしなことだが、邦弘はその夫と目があったと思った。三年もまえに死んだ男からうなずきかけられた気がしたのだ。

そこから男と女のことは、急に深さを増していった。三枝子の身体は邦弘をのせてうねり、お互いが与えあう刺激は夜の高みをめざして、濡《ぬ》れた翼を押しあげていく。三枝子はとぎれとぎれの声を最後に長く伸ばして、ぐったりと静かになった。八畳間の正方形の闇に、荒く息をつなぐふたりの音だけが響いていた。

しばらくして身支度を整えると、夜具のうえに正座したまま三枝子はいった。

「どうもありがとう」

横になっていた邦弘はあわてて身を起こした。

「いや、こちらこそありがとう。だけど不思議だね。さっきあの写真を見たら、あの人にうなずきかけられた気がした。怒っているのでも、嫉妬《しっと》しているのでもない。笑ってこちらを見てうなずいていたんだ」

三枝子はほほえんで、白木の写真立てを見た。邦弘は気になっていたことを口にした。

「わたしをつかうというのは、どういうことだったんだろう」

三枝子は夫の写真を見つめたまま、静かに話した。

「あの人が亡くなるまえに約束したことがふたつあったんです。ひとつは自分の代わりにあの桜の木を見にいくこと。ふたつめはいつまでもひきずらないで、別な男に抱かれて新しいしあわせを早く見つけること。でも両方とも、この三年間ぜんぜんできなかった」

邦弘はうなずいて三枝子から視線をそらせた。冗談をいいかけて口元をほころばせる若い男の写真を見つめた。三枝子が泣きだしたのは、声が濡れているせいでわかった。

「いつまでも過去の悲しみに縛られていてはいけない。いつかは今の時間にもどらなくちゃいけないっていつも思っていたけど、どうしてもできなかった。あの木の近くで溝口さんに会ったときから、あの人との約束を両方とも一度に果たすんだって、わたしはひとりで勝手に決めていたんです。こんなことに利用してしまってごめんなさい」

邦弘はきかずにはいられなかった。

「いくらつかわれたってぜんぜんかまわない。それより、三年まえにとまった時間は、また流れだしたんですか」

三枝子は涙を落としながら、嫌々をするように首を振った。

「まだ、わからない。でも今までのわたしは、自分ではどうしようもないことで、あんなにひどく傷ついていたんだと思うだけです」

夫の写真から邦弘に視線を移した。濡れたまつげで笑い、三枝子は軽く咳《せ》きこんだ。

「それからね、ああ男の人に抱かれるって、すごくいいことだなあって久しぶりにわかりました。溝口さん、どうもありがとう」

邦弘はもう若くはなかった。だが、その夜はもう一度三枝子を抱かないわけにはいかなかった。それは欲望とはまた違った感触だった。自分の快楽のためではない。三枝子をまたむこう側にいかせずに、こちらの世界につなぎとめるための行為だった。

二度目を終えた深夜、邦弘は寝息で三枝子の眠りを確認すると、座卓のうえにあった旅館の便箋《びんせん》とボールペンをつかい、住所と電話番号を書いておいた。自分と三枝子の関係に明日があるのかはわからなかった。このまま続くならうれしいことだが、それを決めるのは三枝子の気もちだと思った。邦弘は静かに上下する掛け布団をしばらく眺め、引き戸をそっと閉めて、自分の部屋に帰っていった。

翌朝、邦弘のむかいに用意された朝食には誰も手をつけていなかった。お茶をついでまわっている仲居に声をかけてみる。

「あちらのお客さんは、具合でも悪いんですか」

仲居は邦弘の湯のみに茶をつぎたすと、かすかに意味ありげな笑みを浮かべて頭をさげた。

「今朝早くお発《た》ちになりました」

そうか、やはり顔をあわせるのがもう苦痛だったのだ。寂しさが胸のなかで生まれて、すとんと腹に落ちてきた。邦弘は黙々と朝食を片づけた。

着替えだけ詰まったデイパックを肩に、フロントにもたれたのは朝九時だった。鍵をカウンターにおいて、財布を取りだした。

「精算してください」

フロント係の若い男は鍵の番号を確かめ、壁の格子から伝票を抜いた。営業用の笑顔になっていう。

「精算はもうおすみです。桔梗の間の長尾さまに出発まえにお支払いいただきました」

邦弘は驚きを隠していった。

「そうでしたか」

フロント係はカウンターのしたからなにか取りだした。邦弘のまえに滑らせる。

「それから、お手紙を預かっております。どうぞ」

礼をいって封筒を受け取ると、邦弘はふらふらとロビーを横切り、駐車場のランドクルーザーにのりこんだ。運転席に座り、初めて封筒を開いた。正面のウインドウにはいつのまについたのだろうか、桜の花びらが点々と散っていた。ハンドルに便箋を開いて、手紙を読み始める。

溝口邦弘さま

どう感謝の気もちをお伝えしたらいいか、困ってしまうほどです。
あなたのお力でまた明日になにかを期待する心がよみがえってきました。
とまっていた時間はまた流れだしたかと昨夜おたずねでしたね。
今ははっきりイエスとおこたえできます。今朝ひとりで目を覚まして、
それが突然わかったのです。電話番号はちゃんと手元にあります。
ご連絡しますので、よろしければ溝口さんの新しい撮影場所で
つぎの週末にでもお会いできたらと望んでいます。
それでは、いい写真をたくさん撮ってください。
溝口さんの写真には、人の心を動かす力があります。
それはわたしを抱きしめてくれた腕の優しさと同じ力です。

長尾三枝子

邦弘は涙でかすんだ目をあげた。泥と花びらで汚れたフロントウインドウのむこうには春の山が広がっていた。新緑のなかに淡い筆づかいの桜の白が混ざりこんでいる。まだ花

は咲き始めたばかりだった。桜のシーズンはこれからたっぷりと二週間は続くのだ。この撮影旅行が終わるまで、三枝子と続けることができたら、新しい暮らしの形を考えるのもいいかもしれない。なにせ四十年間もひとりだけで生きてきたのだ。

誰か、浅い春を思わせるような女性と暮らし始めるのも悪くないかもしれない。

ハートストーン

有坂《ありさか》家の部屋は一階だった。夫の久明《ひさあき》は、せっかくの十二階建てなのだから、最上階かあるいはそのひとつしたがいいといったけれど、志津子《しずこ》は譲らなかった。田園都市線溝《みぞ》の口《くち》駅から十分ほど歩いた丘のうえにあるマンションである。一階にはウッドデッキのテラスと、狭いながらも専用庭がついていた。志津子の趣味はガーデニングだったのである。

以前借りていた世田谷《せたがや》の住まいでは、狭いバルコニーいっぱいに鉢植えを並べていた。オリーブ、オリヅルラン、ミモザ、ニシキギ。手が荒れるといいながら、春と秋には毎日のように植え替えをした。なぜ土をさわっているとこれほど落ち着くのか、農家の育ちではない志津子には自分でもよくわからなかった。

秋の三連休の最後の日曜日。乾いた風が丘を吹きあがってくる午後、志津子は育ちすぎたポトスを新しい鉢に移していた。ひとり息子の研吾《けんご》は、ふた駅先の宮崎台に住む志津子の両親の家に泊まりがけで遊びにいっている。静かだった。掃除を終えてすべての窓を開け放し、秋の風を部屋に招いてやる。

久明はマンションの駐車場で自動車を磨いているはずだった。普通の国産車でいいといったのに、住宅ローンもかえりみず新しいアウディの中型セダンを買ったのだ。夫は最上階をあきらめる代わりに、ドイツ車の購入を切りだしてきたのである。我が家は夫婦そろってわがままなのかもしれない。志津子はくすりと笑いながら、ポトスの株分けをした。電話が鳴ったのはそのときである。志津子はサンダルを脱いでリヴィングにあがり、電話機にむかった。土のついた指先を見て顔をしかめ、ティッシュで包むように受話器を取った。

「はい、有坂です」

声は切迫していた。母の須美《すみ》である。

「志津子、研吾くんが倒れた。今、救急車を呼んだから、あとで、あとで」

母は気が動転していた。志津子にも焦りが移ってしまう。心臓がいつもの倍くらいのおおきさで脈打っているようだった。

「おかあさん、研吾になにがあったの」

「頭が痛いといって倒れて、お昼ごはんを吐いた」

また頭痛だった。夏休みのころから、ちょくちょく研吾は頭が痛いということがあったのだ。たいていは休日などで遊んで、ひどく興奮したあとだったので、志津子と久明はあまり大事に考えていなかった。

「研吾の意識はしっかりしてるの」

遠くでサイレンの音がきこえた気がした。須美の声はひどく落ち着きがない。

「意識はないみたい。おとうさんがてんかんで舌をかむといけないといって、スプーンを口にくわえさせているけど、だらりとしたままなの。どうしよう、どうしたらいいの」

志津子は土まみれの手でしっかりと受話器をにぎった。ティッシュはいつのまにか落ちてしまっていた。このまま母の声をきいていたら、自分までおかしくなりそうだ。

「わかった。このあたりなら救急は、高津《たかつ》の大学病院ね。うちもすぐにでるから、むこうで、またあとで」

受話器をおいて、志津子は深呼吸した。フックにもどされた取っ手には、自分の手のあとが生々しく残っていた。志津子は久明の携帯の番号を押すと、息をつめて呼びだし音をきいた。

大学病院の分室は高津駅まえの府中街道沿いにあった。久明のアウディは半分しかワックスが済んでいなかったが、端正な表情で休日の街道を駆けた。夫は最初に研吾が倒れた様子をきいてから、一転して無口になった。いつもならつまらない冗談を休みなくいって、息子からオヤジギャグとからかわれているのだ。

見舞い客が多いのだろうか、病院の駐車場はほぼ満杯だった。入口から遠く離れて車をとめると、志津子と久明は小走りでガラスの自動扉にむかった。志津子はガーデニング用のエプロンをはずしてコートを羽織っただけ、久明は洗車時のスウェットの上下のままである。

正面の受付でひとりしかいない事務員に久明が叫んだ。これほど真剣な声を夫からきいたのは久しぶりだった。

「先ほど救急車で運ばれた男の子の家族です。どこで会えますか」

事務員はカウンターのしたで、クリップボードを確かめた。

「有坂研吾くん、十歳ですね。救急治療室で手あてを受けています。あの矢印のとおりに廊下を奥にすすんで、つきあたりの右側になります」

志津子と久明は無言で会釈して走りだした。病院にくる車中でもずっと気もちは走り続けだった。最後の数十メートルで、ついにこらえ切れなくなったのである。廊下の壁に貼られたプレートの赤い矢印が、不安でたまらなかった。志津子と久明は、息をつめ足音を殺して日曜日の病院を駆けた。

救急治療室はおおきな部屋だった。教室をふたつつなげたほどの広さがある。そこに六個のベッドが並んでいた。なかにはいると消毒薬のにおいがいっそう強くなった。使用されているのはひとつきりで、そこだけ白いカーテンで丸く目隠しされている。

「すみません。研吾の父です」

久明が声をかけるとカーテンが割れて、須美が顔をのぞかせた。肩越しに白いシーツが盛りあがっているのが見える。

「久明さん、こんなことになってごめんなさい」

久明はちいさく首を横に振って、カーテンをおおきく引いた。治療室までは駆けてきたのに、ベッドのそばに寄るとき久明と志津子は暗闇のなかを手探りするように歩みを遅くした。小学校四年生のひとり息子は、枕に頭を落としたままいたずらっぽく目を開いていた。

「とうさん、かあさん、もうだいじょうぶだから。心配かけて、ごめんちゃい」

冗談をいったようだった。右の手首からは透明なチューブが、点滴スタンドに伸びている。なんのための点滴だろうか。志津子の父の繁治《しげはる》はいつものように無口で、研吾の枕元に立っていた。年をとっても背はまっすぐで、電柱のように細い人だった。繁治は志津子にうなずくと、一歩さがってベッドサイドをあけた。志津子の目には涙が薄く張っていた。研吾のまえで泣くのだけはやめよう。そう自分にいいきかせる。久明がいった。

「なんだ、元気そうじゃないか。勉強もしないくせに、頭痛くなるなんて、ケンは頭悪いんじゃないか」

研吾はにこりと笑った。

「とうさんに似たんだよ。それよりいつ帰れるの、お腹すいちゃったんだけど」

おずおずとした笑い声がカーテンのなかに響いた。誰かが外から声をかけてくる。

「すみません。ご両親にお話があるのですが」

志津子が顔をだすと、白衣のまえを開いた女性が立っていた。小脇にノートブックパソコンを抱えている。

「救急担当の宮原です。こちらへ、いらしてください」

白衣の裾《すそ》をひるがえして、医師は廊下にでていった。久明は研吾に片目をつぶった。

「ちょっといってくる。帰りにラーメンでもくっていくか」

溝の口「大笑」の味玉チャーシューメンが、研吾の大好物だった。志津子と久明は医師のあとを追って、白い廊下を歩いていった。


そこは殺風景な待合室のような部屋だった。壁際には白板が一枚、中央には横長の机がふたつ並べられているだけだ。宮原と名のった女性医師はパソコンを机のうえで開いた。手元のメモを見ながらいった。

「えーと、研吾くんでしたね。最近、よく吐いたりすることはありましたか」

志津子と久明は顔を見あわせた。うなずいて志津子はいう。

「はい、夏休みくらいから、たまに吐くようになりました」

女医は手元のメモになにか走り書きしながら続けた。

「気分が落ちこんだり、ふさぎこんだりは」

今度は久明が口を開いた。

「あの子はサッカーのジュニアチームにはいってるんですが、試合中に足がふらついたりすることがあって、それで沈んでいたりしました。でも、そんなことが病気に関係あるんですか」

「それは足に力がはいらないような感じで、ふらついたりするんですか」

久明の返事は悲鳴のようだった。

「だいたい足がふらつくというのは、そんなものでしょう」

医師はメモを終え、いくつかキーを操作した。液晶画面をこちらにむける。頭蓋骨《ずがいこつ》の輪切りが白黒の映像でぼんやりと光っていた。水性ボールペンの先で後頭部のあたりを示す。

「これは先ほど撮影した研吾くんのCTスキャンの画像です。大脳のうしろにあるこの部分を見てください」

ちいさなこぶのように大脳にぶらさがる器官は、広い範囲で煙のように白く染まっていた。医師はその周囲に透明なキャップでぐるぐると円を描いた。

「研吾くんは小脳に腫瘍《しゅよう》ができているようです。良性なのか、悪性なのか、腫瘍の種類もこちらの病院の施設ではよくわかりません。紹介状を書きますから、東京の病院にいって詳しく検査してもらってください。小脳に腫瘍ができると脳のなかの圧力があがって頻繁に嘔吐《おうと》したり、不機嫌になったりすることがあるんです」

煙のようにかすれた脳の一部を、志津子は見つめていた。こんなものが研吾の頭のなかにあるなんて。脳腫瘍というのは、どういう意味なのか。液晶画面から目を離すことができずにぼんやりといった。

「じゃあ、足がふらついたのも、これのせいなんですか」

「その影響かもしれません。小脳に腫瘍ができると、運動障害がでることがあります。お気を確かに。小児の病気では、ご両親の役割が大切です。子どもたちは敏感ですから、親御さんが不安がったり、怖がっていたりするとすぐに察してしまいます。お気を強くもってください。では、紹介状とCTのフィルムを用意してきますから」

女医は部屋をでていった。志津子と久明はふたりだけで殺風景な箱のなかに残された。涙がでそうだったが、これから病室にもどらなければいけない。志津子は泣くこともできなかった。久明はコンクリートの壁にむかって叫んだ。

「なんで、うちの研吾なんだ。いきなり病院に着いて、脳腫瘍ってどういう意味だ」

パイプ椅子に座ったまま、靴底をタイルにたたきつける。志津子の気もちは、ひとつの所にいなかった。身体だけでなく、心まで恐怖で逃げだしそうだった。

「あなた、うちの家族はどうなるの」

誰にもこたえのだせない質問なのはわかっていた。久明が手を伸ばしてきた。志津子は夫のひとまわりおおきな手を取った。久明の手も、志津子と同じように震えていた。この人も怖くてたまらないんだ。

「こんなところにいてもしかたない。研吾のところにもどろう」

志津子は涙目でうなずいた。目があうと泣きだしそうで、夫の目は見られなかった。

「おれが研吾のそばにいるから、おとうさんとおかあさんには、志津子のほうから話してくれないか」

のろのろと志津子は立ちあがった。部屋をでるとき、久明は志津子に振り返るといった。

「すまない。肩を貸してくれ」

夫は弱みを見せるようなことはない人だった。それなのに志津子に抱きつくと、肩に頭をのせて、なにか吐くような音を立てる。

「研吾のまえでは、絶対に泣かないようにする。今だけだから」

身体も声も震えていた。志津子は久明の厚い背中に手をまわした。夫に先に泣かれてしまって、心のなかに芯《しん》がとおった。脳腫瘍だろうが、なんだろうがかまわない。研吾は絶対むこうに連れてはいかせない。わたしはこの人のまえでも研吾のまえでも、うちの親のまえでだって、絶対に弱いところは見せない。わたしがみんなを支えるんだ。そう心に決めると、志津子の目から涙は引いていった。

夫が志津子を抱いていたのは、ほんの十五秒くらいだった。身体を離すとき、久明は志津子の目をのぞきこんできた。目と目があう。心と心がつながった。お互いになにを考えているのか、言葉にする必要もなかった。うなずきを交わす。

志津子と久明は、闘いにいくために長男の待つ病室にもどった。

その日二軒目の病院は、東京にある同じ医大の本院だった。周囲のオフィスビルに負けない巨大なシルエットが夕空を圧していた。これほどのおおきさの病院がいっぱいになるくらいなのだ。それだけ患者の数も多いのだろう。志津子は夫の運転するアウディの後部座席で、眠っている研吾の手をにぎりながら窓の外を見ていた。検査が長引くといけないので、両親には事情を話して、いったん家に帰ってもらっている。

受付で紹介状を見せると、すぐに検査室に連れていかれた。CTは高津と同じように簡単に終わったが、MRIは時間がかかった。ごうごうとエンジンルームのなかのような音がして、研吾も怖がっていた。久明と志津子はガントリーにのみこまれていく息子の足首をにぎって、はげましの声をかけ続けた。

結果が判明したのは、暗くなってからだった。研吾を病室に残して、ふたりは医師の部屋に呼ばれた。机の正面にはおおきなライトボックスがおかれていた。今度は中年の男性医師である。表情の読めない目でこちらを見てからいった。

「どうぞ、おかけください」

用意された二脚のパイプ椅子に恐るおそる腰をおろした。

「お子さんは髄芽腫という小児脳腫瘍にかかっておられます」

志津子も久明もなにもこたえられなかった。医師は大判の分厚い封筒から、フィルムを抜いた。何枚か光りにかざしてから、ライトボックスにさしこむ。高津の救急病院で見せられたものと同じような画像だが、こちらのほうがはるかに細部が鮮明だった。医師はペンの先で後頭部を示した。

「この小脳正中部で真っ白に染まっているところがありますね。これが研吾くんの髄芽腫です。現在の段階なら、すべて摘出することが可能でしょう」

久明が身をのりだしていった。

「その髄芽腫というのは、良性なんですか、悪性なんですか」

息をのんで、ふたりは医師を見つめていた。微妙な間があく。医師はメタルフレームの眼鏡の位置を直した。志津子はいいにくいのだとわかった。毎日ガン患者を扱っているヴェテランの医師でさえ、いいにくいのだ。

「最も悪性度の高い腫瘍のひとつです。最近は治療法が進歩して、かなり効果があがっていますが、五年生存率は六割ほどです」

志津子はハンドタオルを思い切りにぎりしめた。久明はなにかいおうとして口を閉じ、声にならない音を漏らした。研吾が中学を卒業するまで生き延びる可能性は半々なのだ。目のまえが暗くなったが、志津子はくじけなかった。

「治療にはどんな方法があるんですか」

医師はじっと久明と志津子を見つめた。目に共感の色があった。患者の家族の気もちに寄り添うことができる。この先生はいい人かもしれない。

「手術は頭蓋骨にいくつかちいさな孔《あな》を開け、そこから切開して骨をはずします。そして小脳の腫瘍部分をできる限り取り除くことになります。小脳は体の運動機能を扱うところなので、麻痺《まひ》や運動障害が残る可能性もあります」

運動障害……志津子はおおよろこびでサッカーの練習にでかける息子の笑顔を思い浮かべた。こんなにつらい絵は忘れなければいけないと思っても、研吾の笑顔は去らなかった。なにより大切な長男の、大好きな表情なのだ。打ち消すことなどできなかった。久明がいった。

「手術にはどれくらいかかるんですか」

医師は夫の目を見てこたえる。

「八時間から十数時間。正確にはわかりませんが、どちらにしても一日がかりの大手術になります」

研吾のちいさな身体がそんな手術に耐えられるのだろうか。医師は淡々といった。

「十分に摘出をおこなったあとで、放射線療法と化学療法をすることになると思います。髄芽腫は放射線治療が有効な腫瘍です。髄液をとおして脳室壁や脊髄《せきずい》などへ転移しやすいので、小脳の病変部だけでなく脊髄全体にも放射線照射が必要になります」

志津子はいった。

「まだ身体のほかの場所に転移してはいないんですね」

医師はうなずいて、フィルムを見あげた。

「今回の検査では、脳のほかの部位への転移は発見されていません。脳腫瘍には特殊な性質があって、脳で原発した腫瘍は脳神経系以外の身体の器官には転移しないんです。ですからしっかりと手術をおこない、放射線でたたくことが大切になります」

久明が志津子の手をにぎった。にぎり返す力はなかったが、そのあたたかさだけで力をもらった気がした。志津子は医師にたずねた。

「手術をするのはいつごろになるんでしょうか」

医師はふたりにうなずきかけた。

「今日から入院してもらって、精密検査と体調管理を始めます。一週間後には手術ということになるでしょう」

足元が崩れそうだった。頭が痛いと今日の午後倒れて、一週間後には十時間以上もかかる開頭手術をするという。夫の肩が震えているのが、志津子には見なくてもわかった。医師はいう。

「まだ決断するのは待ってください。わたしは簡単なアウトラインだけしか、お話ししていません。うちの病院では、いくつかの治療法をご提案しますし、よその先生からセカンドオピニオンをいただくこともおすすめしています。まだ時間はありますね」

医師の説明はそれからさらに四十分続いた。志津子は病院の売店で買ったノートを開き、ひとつの言葉も逃すまいと細かなメモを取り始めた。

病室にはいるまえに、志津子と久明は顔を見あわせた。廊下の蛍光灯は青く夫を照らしていた。一日で十歳も老けてしまったようだった。目のしたに涙の跡が残っていた。志津子はハンドタオルをわたしていった。

「あの子のまえでは、元気にしましょう」

涙をふいて夫は志津子に笑いかけた。

「よし、いくぞ」

空元気をふるう夫がいじらしかった。病室にはいると研吾はベッドで上半身を起こしていた。両親の顔を見て、安心したようにいった。

「長かったね。もうお腹ぺこぺこなんだけど。廊下から晩ごはんのにおいがするし、ぼくにはなにもくれないし。もう帰ろうよ。大笑のチャーシューメンがたべたいな」

久明は志津子にうなずいた。研吾のさらさらの黒髪に手をのせる。髪のしたにあたたかな骨を感じた。この頭の中心部にガンがあるのだ。夫は志津子に目をやってから、口を開いた。志津子は久明がちいさく深呼吸するのを見逃さなかった。

「あのな、研吾の頭のなかに悪いバイ菌がはいったみたいなんだ。頭が痛かったり、吐いたり、足がうまくつかえないのは、そのせいなんだって先生がいってる」

研吾はぱっと顔を輝かせた。

「このまえの試合でぼくがクリアミスしたのは、ぼくのせいじゃなくてそのバイ菌のせいなんだ。じゃあ、病気が治ったら、また元どおりになるね。やった」

運動障害という医師の言葉を思いだした。口元を引き締め、目に力をいれて耐える。ここで泣くことはできなかった。志津子はいった。

「それでね、もう今夜から研吾はこの病院に入院することになったの。さびしいだろうけど、毎晩おかあさんが泊まりにくるから安心してね」

研吾は不安そうな顔をした。ひやりとしながら、志津子は息子の表情を読んだ。

「一週間くらいかな。でも、まだよくわからないの。それより研吾はお腹すいたんでしょう。この病院、一階にレストランがあるから、みんなで晩ごはんたべにいこうか」

「いいね、いいね、いいですねえ。じゃあ、ぼくラーメンと餃子《ギョーザ》ね。さっきから、大笑のことばっかり考えてたから、すっかり頭がラーメンになっちゃったよ」

研吾は両足をそろえて、ベッドからぴょんと飛びおりた。これほど元気な子の頭に腫瘍があるなんて。志津子は十歳の息子をしっかりと胸に抱いた。

「痛いよ、なにすんだよ、ママ」

一瞬目に薄く張った涙は、研吾には気づかれていないようだった。

一週間は目まぐるしくすぎた。不思議なことに入院してから研吾は、食物を吐いたり、頭痛を訴えることもほとんどなくなっていた。だが、子どもの腫瘍《しゅよう》の成長は早いという。こうしているあいだにも、あの白い煙のようなものが成長して、正常な脳を圧迫しているのかもしれない。

研吾は検査の連続によく耐えた。周囲の医師や両親の様子から、ただごとではないという空気は伝わっているようだった。一度だけ荒れたのは、四日目の夜だった。その日の午後には、フットボールクラブの友達がお見舞いにきてくれたのだ。

一番のなかよしだったゴールキーパーの芳川くんが、プレゼントを渡してくれた。研吾は歓声をあげてリボンをはずし、箱を開いた。なかには青いユニフォームがはいっていた。研吾はベッドのうえで広げると、背番号を確かめた。

「やった。４番だ。かあさん、これマケレレのユニフォームだよ」

クロード・マケレレはフランス代表の小柄な守備的ミッドフィールダーで、レアル・マドリードからプレミア・リーグに移籍したばかりだった。ポジションが同じで、体格に恵まれていないことも似ていたから、研吾のあこがれの選手である。ユニフォームは都内のスポーツショップを走りまわって、夫が見つけだしたものだった。背の高い少年は研吾にいった。

「早く元気になって、グラウンドにもどってこいよ。研吾じゃないと、すごく守りにくいんだよな」

研吾はうれしくて言葉を返せないようだった。顔を赤くしている。代わりに志津子がいった。

「どうして、うちの子じゃなくちゃだめなの」

ゴールキーパーの少年は、ぱちんとてのひらにげんこつを打ちあわせた。

「うちのチームはうまいやつは、けっこういるんです。でも、最後の最後のピンチになったとき、身体を張って守りにいくやつは研吾くらいしかいない。こいつ普段は遅いくせに、そういうときはすごく足が伸びるんです」

研吾は恥ずかしそうにそっぽをむいていった。

「キーパーがへたくそだから、無理しちゃうんだ。でも、ほんとにさ、絶体絶命のピンチのときには、すごいプレイができるんだよね。自分のためだとダメなのに、チームのためだといつも以上の力がだせる。サッカーって、おもしろいな」

別なチームメートが口をはさんだ。

「なんだよ、うちのクラブってディフェンスのやつだけかよ。芳川、おれにも研吾のいい話をアシストしてくれよ」

「おまえは絶対、枠をはずすからダメ。おれ、フォワードには厳しいの」

病室のベッドのまわりで、子どもたちの笑い声が咲いた。志津子は目に涙を浮かべて笑った。研吾がいつかチームにもどる日はくるのだろうか。この青いユニフォームを着てフィールドに立つ日が、ほんとうにやってくるのだろうか。そのとき小児病棟の看護師長・森井がやってきた。四十代後半の大柄な女性で、いつも厳しい表情をしている。久明のつけたあだ名は「鬼軍曹」である。

「ここは病院で、今も苦しんでいる人がいるんだから、静かにしてください」

研吾はユニフォームをかかげた。

「見て、森井さん。プレゼントもらっちゃった」

看護師長は無表情に新品のユニフォームを見おろして、口の端をつりあげた。

「マケレレとかいうんでしょう。はい、わかりました」

研吾の様子を確認するとすぐに個室をでていった。フォワードの少年は声をひそめていった。

「研吾ついてねえな。看護師って、普通もっとかわいいだろ。あんなのがうちのクラブのフィジカルコーチになったら、全国制覇も夢じゃないかもな」

志津子も少年たちといっしょに、今度は息を殺して笑った。

チームメートがいるあいだ、研吾は冗談しか口にしなかった。表情も底抜けに明るい。

十歳の少年が思いつめた顔になったのは、その夜のことである。志津子が簡易ベッドを用意して横になろうとすると、壁をむいていた研吾がいった。

「みんなはあんなに元気なのに、ぼくは病室からでることもできない。練習だってどんどんおいていかれちゃうよ。今度の手術は頭のなかをいじるんでしょう。ほんとにまえみたいに走ることができるのかな」

志津子にはなぐさめの言葉はなかった。息子は壁をむいて続ける。

「どうして、ぼくだけがこんな目にあうんだよ。誰にも悪いことしてないし、まだ小学生なのにさ。社会の時間に先生がいってることなんか、みんな嘘だ。人はぜんぜん平等なんかじゃない……」

あかりの消えた病室の天井に葉の落ちた木の影が不気味に映っていた。志津子は黙りこんだ研吾のちいさな背中を見つめていた。肩が震えている。十歳の少年は絞りだすようにいった。

「……かあさん、ぼく、死にたくないよ」

志津子はベッドを移り、息子の熱い背中を抱きしめた。なにをいっても嘘になる気がした。世のなかや運命への疑問は研吾のいうとおりだった。志津子もなぜうちの子がと考えない夜はなかったのである。母は無力だった。いっしょに泣いてやることしかできない。そのまま研吾が泣き疲れて眠るまで、背中を抱いて涙を落とした。窓の外から木々の葉のざわめきがきこえる。それは世界が不安に震える音だった。

自分の簡易ベッドにもどろうとしたとき、病室のドアがノックされた。

「有坂さん、起きてらっしゃいますか」

看護師長の森井の声だった。こんな時間になんだろうか。

「はい」

薄く開いた引き戸から、森井が白い顔をのぞかせていた。

「ナースステーションまでいらしてください。おかあさまから緊急の連絡がはいっています」

寝巻き代わりのスウェットにあわててカーディガンを羽織った。研吾のことがあってから、緊急の電話には不吉な予感しかなかった。志津子は病室をでると、暗い廊下を早足で抜けた。森井はいれ違いに病室にはいり、研吾の様子を看《み》ている。

ナースステーションの窓からこぼれる光りは、真夜中の病院を灯台のように照らしていた。若い看護師たちの熱気が感じられる。ちょうど休み時間だったようで、白いテーブルにはコンビニの菓子が広げられていた。

「有坂です」

女子高生のような看護師がすぐに有線の電話機をまわしてくれた。耳にあてると、母の声がした。

「志津子、志津子なの」

前回と同じように母は取り乱していた。

「わたしよ。だいじょうぶ、おかあさん。いったいどうしたの」

母は泣き声だった。志津子はショックにそなえようと全身を硬くした。

「うちの家族ばかり、どうしてこんなことになるんだろう。今度はおとうさんが倒れた。心臓発作だって。今、高津の病院にいるんだけど」

身体のなかでなにかが崩れ落ちていくようだった。なにも感じられず、考えてもいないのに、言葉だけが口をついてでていく。

「おとうさんは、無事なの。意識はちゃんとしているの」

母はまたおろおろとしているようだった。

「研吾くんがこんなときなのに、電話なんかしちゃってすまないね。おとうさんは今はだいじょうぶ。でも、つぎに発作が起きたら危険だって。もう年だから、体調を見て手術をすることになりそうなの」

志津子はひとり娘だった。わずかな時間でもいい、父と母のそばにいてやりたかった。

「研吾は眠ってるから、これからそっちに顔だすね。おとうさんにがんばるようにいって」

病室にもどり、研吾の様子を確かめてから、静かに部屋を抜けだした。病院の外にでるとすぐにタクシーをつかまえることができた。高津までの四十分間、志津子は後部座席で震えながら窓の外を眺めていた。もうすぐ冬になる街のあかりが、なぜか切れるように美しかった。信号機、ブレーキライト、遠い高層ビルの壁面にランダムに光る窓。

研吾と父があいついで入院したのだ。うちの家族のいく先は、このタクシーのようにはっきりとわかっているのだろうか。研吾の手術は三日後だった。ほんの近くの未来さえ、闇に閉ざされて見えなかった。志津子は何度も心のなかで繰り返した。

「元気になって、もどってきて。お願いだから、ふたりとも、もどってきて。うちの家族を元の形にもどしてください」

失いそうになって初めて、志津子はかけがえのないものがなにか気づいたのだった。病院に着くまでの短い時間に、自分の思いつく限りの神さまにむかって志津子は祈りの言葉をかけ続けた。

部屋は研吾のときと同じ救急治療室だった。ベッドはひとつ右どなりである。研吾の寝ていたベッドからは、男性のうめき声がきこえた。スクーターの事故で運びこまれた青年で、右足がおかしな形に曲がっていたという。

志津子はうなり声を無視して父にいった。

「だいじょうぶ、おとうさん」

父の繁治は口元のプラスチックマスクをはずしていた。木彫りの面のような顔には、いつものように感情が見えなかった。かすれた声が返ってくる。

「すまん。こんなときに」

志津子はシーツのうえにでた乾いた手をにぎった。父はなにかを手のなかにいれているようだった。

「いいよ。病気なんだから、しょうがないじゃない。それより、おとうさんも身体を大事にしてね。研吾がきいたらがっかりすると思う。元気になったら、また夏休みみたいにジジとババといっしょに旅行にいきたいっていってるから」

父は炭のかけらのような目でじっと救急治療室の天井を見ているだけだった。

「ねえ、おとうさん。手のなかになにもってるの」

繁治はかすかに笑ってこたえなかった。ちらりと志津子を見てからいう。

「研吾の手術まであと三日だな」

「うん、そうだけど」

「わかった」

なぜか父は深くうなずいた。それからまた感情のない目で天井を見あげている。ぼそりといった。

「こっちはだいじょうぶだ。早く帰ってやりなさい。手術のまえにおまえが徹夜などしたら、身体がもたないぞ。だいじょうぶだ、研吾はきっとうまくいく。手術のまえより、あとのリハビリのほうがたいへんなんだぞ」

父は天井にむかってそれだけいうと、白いカーテンのほうをむいてしまった。

「早くもどって、きちんと寝ておきなさい。わたしももう眠るから」

志津子は父の気迫に押されて、救急治療室を離れた。薄寒い廊下にでて、母と立ち話をした。

「おかあさんは明日から、こっちに詰めるの」

「そうするつもり。研吾くんの看病を交代してあげられなくて、ごめんね」

母の目が涙で光ったのを見て、志津子はこらえられなくなった。涙を落としながら、母の肩を抱いた。

「ここにくるタクシーのなかでずっと不安でたまらなかった。研吾の手術があるのに、おとうさんが心臓病で倒れて。うちの家族がばらばらになると思ったら、おかしくなりそうだったよ。おかあさんは絶対に無理しないでね。わたしと研吾はだいじょうぶだから、おとうさんをよろしくね」

そのまま廊下で抱きあったまま、志津子は母と十五分泣いた。涙をつくるのは心なのだとわかった。涙はどこかのタンクにためられているものではないのだ。あとからあとからにじみだして、頬をつたっていく。これほどたくさんの涙が人の器官にためておけるはずがない。最後に強く抱きしめあってから、母と娘は身体を離した。志津子は泣き笑いの顔でいった。

「なんだか、おかあさんとわたし、同じ状況になっちゃったね。こんなことで似た者同士になるのは、すごく嫌だけど」

母の須美も涙が落ちるのもかまわずに笑っていた。

「ほんとうねえ。これが全部終わったら、研吾くんといっしょに温泉にでもいこうね。今が一番悪いときだから。ここさえがまんできたら、なんとかなるから」

志津子はうなずいて、母の手をにぎった。急に思いだして、きいてみる。

「さっきおとうさん、手になにかもっていたんだけど、あれはなあに」

母はおかしな顔をした。

「あの人ね、研吾くんが入院してから、肌身離さずあれをもっているのよ。夏休みに静岡にキャンプにいったでしょう。そのとき富士川の川原で拾った小石らしいけど」

研吾との思い出の詰まった石なのだろう。父は感情をあらわにしないくせに、妙にロマンチックなところがある。志津子は最後に母の手をしっかりにぎると、非常灯だけが点々とともる病院の廊下を歩いていった。

緊急入院してちょうど一週間目、午前十時から研吾の脳腫瘍《のうしゅよう》の手術は始まった。久明も会社を休んで、志津子といっしょにつきそっている。その日は抜けるように澄んだ秋の空だった。刷毛《はけ》でひいた雲が、白い砂のように空高く乾いている。

時間はじりじりと流れていった。正午までの二時間が一日のように長い。ふたりとも食欲はなく、待合室で窓の外を眺めながら、コンビニのサンドウィッチをつまんだだけだった。湿った新聞紙の束をかんだような感触で、志津子はすぐに袋にもどしてしまった。久明はいった。

「たべておいたほうがいいぞ。何時間かかるか、わからないからな」

夫は中身も確かめずにポリ袋に手をいれ、一定のペースであごを動かしているようだった。なにも味がしないのは、この人も同じなのだろう。志津子はペットボトルの日本茶ばかりのんでいた。

朝の日ざしが、昼の高さになり、ゆっくりと金色に熟れながら、ななめに落ちていく。病院の中庭にさす光りの移り変わりを、見つめているだけの一日だった。やせたクスノキの影が角度を変えていく。

どれほどあせっても、研吾に自分たち夫婦がしてやれることは、なにもないのだ。ひとりで生まれ、ひとりで育ち、いつか想像もできない場所と時間にひとりで死んでいくのが、人間なのだ。志津子は明るい秋の日ざしを見つめながら、ほとんど肉体的な痛みとともにそう心に刻みこんだ。それでも研吾は今日に限っては、絶対むこうに連れてはいかせない。

志津子は心のなかでずっと同じ言葉を繰り返していた。絶対、絶対。

若い看護師が待合室の曇りガラスの自動扉を抜けてきたのは、手術が始まって八時間後の午後六時すぎだった。

「こちらに有坂志津子さん、いらっしゃいますか」

志津子は顔をあげた。それだけでわかったようである。看護師はいった。

「こちらにどうぞ。お電話がはいっています」

友人には手術の話はしてあった。誰もこんな時間に無神経な電話をかけてくるものはいないはずだ。病院内では携帯電話が使用禁止なのが、志津子にはありがたかったくらいである。志津子は看護師のあとをついて、手術室の前室に移動した。

「こちらです。どうぞ」

受話器を取る。なにもいわないうちから、母だとわかった。泣いているのもわかった。

「志津子、おとうさんがなくなった。もう三時間もまえに二度目の発作がきて、ずっとお医者さんが心臓マッサージをしてくれたんだけど、駄目だった。さっき死亡確認が済んだの。こんなときにごめんね。研吾くんのほうはどうなの」

全身から力が抜けていくようだった。その場にしゃがみこんでしまいそうだ。だが、志津子は立ち続けた。ここで座りこんだら、二度と立ちあがれそうもなかったのである。

「まだ、わからない。手術が終わったら、そっちにいくから、もうちょっと待ってて。おかあさん、わたしのほうこそ、ごめんね。おとうさんには、あとで会いにいくからって謝っておいてね」

目のまえが涙で歪《ゆが》んで、自分がどこにいるのかわからなくなった。立っているのがやっとなのに、心のなかには父の姿がいくつも浮かんでくる。自分はほんとうにいい娘だったのだろうか。父はいつだってなにもいわずに、わたしの選択を受けとめてくれたけれど、心から満足していたのだろうか。母が泣きながら話していた。

「わかったから、志津子も無理はしちゃ駄目よ。おとうさんは、もう苦しんでいないし、ゆっくり待っていてくれるからね。研吾くんに、よろしくね」

志津子はそっと受話器をおいて、待合室にもどった。足元が妙にふわふわと軽い。夫には最小限の言葉で父の死を伝えた。久明はなにもいわずに肩を抱いてくれる。

うちの家族にこれからいくつ悪いことが起こるのだろうか。志津子が震えていたのは、父の死のためでも、息子の腫瘍のためでもなかった。運命が将来見せる悪意の数々をかぞえるのが恐ろしくてたまらなかったのである。

夜の八時をすぎて、曇りガラスの扉のむこうで人の動く気配がした。志津子はもう夕食もあきらめていた。久明は黙って一階の食堂にいき、もどってきている。和風の出汁《だし》のにおいがしたから、急いでそばでもすすりこんできたのだろう。

ドアがなめらかに割れて、母の須美が待合室にはいってきた。

「おかあさん」

志津子は思わず叫び声をあげた。母はふらふらとふたりの座る長いすにむかってくる。久明は倒れそうな須美のところに駆け寄って、肩を支えてやった。志津子がいった。

「どうしたの、こんな時間に。むこうの病院もたいへんなことになっているんでしょう。お葬式の手配なんかはどうなっているの」

母はぼんやりとした表情でいった。

「そっちのほうはおとうさんの親戚《しんせき》の人にまかせているから。そんなに怒らないで。これだけわたしたら、すぐに帰るから。志津子、これ、研吾くんが目を覚ましたら、あげてちょうだい」

志津子が手をだすとてのひらにあたたかなものが落ちてきた。目の高さにあげて、確かめてみる。それはハート形に角を丸めた白い小石だった。花崗岩《かこうがん》というのだろうか、白にゴマのような黒点が散ったちいさな石である。

「今日ね、お昼ごはんをたべながら、おとうさんにきいてみたのよ。志津子があの石はなんなのか、不思議がっていたって。そうしたら、おとうさんがいうの。研吾が倒れたときからずっとこの石をにぎって、気もちをこめていたって」

それだけで志津子はもうたまらなかった。涙がとまらなくなる。

「最初の発作のときもいっていたの。よかった、これでちゃんとおれの人生最後の仕事ができる。この石をにぎって、おとうさんはお祈りしていたみたいなの。自分が身代わりになりますから、研吾は助けてください。あの子はまだ十歳なんだから、連れていくなら七十すぎの老いぼれにしてくださいって」

吠《ほ》えるような声を漏らして、夫が泣いていた。母は泣き笑いの顔でいう。

「その石ね、心臓マッサージの途中で、わたしがおとうさんの手から取っちゃったの。まだあったかだったんだよ。それからずっとわたしがもっていた。これは志津子にわたすから、あなたが久明さんとあったためて、研吾が目を覚ましたらわたしてやって」

志津子は指のあいだからちらりと小石を見ると、しっかりとにぎり締めた。このあたたかさは、父から母へ、それからわたしへと順番につながれてきたものなのだ。きっと研吾にも受けわたされるはずだ。母は真っ赤な目をして笑っていた。

「うちのおとうさんは、なにもいわない人だったけれど、いったことは必ず守る人だった。だいじょうぶだよ、志津子。研吾くんは、必ず助かる。むこうにいったおとうさんが、きちんと話をしてくれるから」

久明が小石をにぎった志津子の手を両手でくるむように取った。泣きながらうなずきかけてくる。志津子もなにもいえずに同じようにするだけだった。母は涙をふくと、静かにいった。悲しみも恐怖も怒りも感じさせない、秋の日ざしのような声である。

「わたしには見えるよ。研吾くんの手術はうまくいく。そのあとの放射線だってうまくいく。あの青いユニフォームを着て、また元気にサッカーをする研吾くんが見えるんだ。別に予言とか、夢とかじゃなくて、実際にそうなるんだよ。安心して、ゆっくり待つといい。あの子はまた元気に走りまわるようになる。それでね、あの子は優しいから、ジジの形見だといって、いつもその石をもって歩くようになるんだ」

母は自動ドアのてまえでふたりを振り返り、笑ってうなずくと待合室をでていった。それからの夜を、志津子と久明はふたりで小石をにぎりしめてすごした。

もう待つことは不安ではなかった。ちいさなハート形の石には、ふたりの心を落ち着かせる不思議な力があったのである。

研吾の手術は開始から十四時間半かかって、深夜に終了した。先に手術室からでてきたのは研吾がのった台車だった。顔色は蒼白《そうはく》で意識はない。ちいさな頭は白い包帯で包まれている。何種類かの点滴が揺れていた。看護師の押す台車はとまることなく、集中治療室に運ばれていった。

すぐに中年の医師がでてきた。この手術はひとりだけでおこなう難易度の高い手術だと事前にきかされていた。医師の頬はくぼんで土気色になっている。目礼するとふたりにいった。

「手術は成功しました。肉眼で見える範囲の腫瘍はすべて摘出しています。あとは放射線と薬で完璧《かんぺき》を期しましょう。ながいあいだお疲れさまでした」

「ありがとうございます」

ふたりは声をあわせて、頭をさげた。両手はにぎりあったままである。志津子のてのひらには、あの石がある。

「お疲れのところ、すみませんが」

志津子はそういって、手みじかに父の死とハート形の小石の話をした。甘えているのかもしれないが、この医師にならわかってもらえるような気がした。片方の耳からマスクをさげたまま、医師は何度もうなずいてきいてくれた。なんとか涙を抑えて志津子が話し終えると、医師がいった。

「わたしの立場からは、絶対にだいじょうぶとは申しあげられません。ですが、永いことこの仕事をしていると、人の生死はほんとうに不思議だなと痛感させられることがあります。有坂さんのような事例は意外にあるものです」

久明がたたみかけるようにいった。

「そんなときはどうなったんですか」

医師は疲れているようだが、表情は明るかった。

「おかあさまのいうとおりになりました。そういうときには、自分はなにをしたんだろうとよく考えたものです。ほんとうは、医者はなにもしていないのではないか」

中年の医師は窓のむこうを見ていた。クスノキがしたから照明をあてられて、夜のなか浮き立つような緑である。志津子はいった。

「十四時間も手術をしてくださって、なにもしていないはずがありません」

医師はすこしだけ笑った。

「いいえ。ほんとうにたいへんな仕事をしたのは、なくなったおとうさまかもしれない。わたしは研吾くんを元のコースに返してあげるため、そっと背中を押したくらいなのだと思います。これからのあの子の暮らしは、おふたりの肩にかかっています。手術よりも何百倍も永い時間ですよ。苦しいこともあるでしょう。頭がさがるのは、こちらのほうだ」

そういうと軽く礼をして見せた。医師は思いだしたようにいった。

「その小石を今ももっているんですね。ちょっと見せてもらえませんか」

志津子はてのひらをだして見せた。医師は疲れた顔でハート形の白い小石を見つめると、黙ってうなずいた。暗い廊下を去っていく背中を見送って、この先生でよかったと志津子は思った。問題はいろいろとあるのかもしれないが、病院にはまだこういう立派な人がいくらもいるのだ。夫が志津子の手を取ったままいった。

「今夜は、どうする」

志津子は窓の外を見つめた。常緑のクスノキは秋が深まっても、変わらずにみずみずしい葉を茂らせている。そこに中年期を迎えた男女が手をつなぐ姿が、透きとおって二重写しになっていた。小石をにぎったてのひらに力をこめると、志津子は窓にむかっていった。

「あなたは明日があるから、帰って休んでください。わたしは高津の病院にいって、おとうさんとおかあさんに、手術がうまくいったと報告してきます。どうしても電話では嫌なの、わたしの口から伝えたいんです」

そうだ、きちんと報告して、父にお礼をいわなくてはいけない。おとうさん、研吾を守ってくれて、ありがとう。すまないけれど、おとうさんがいなくなったことを悲しむのは、もうすこしあとで勘弁してね。まだ研吾の闘いが終わっていないから。

ちいさな石のあたたかさが、てのひらから全身に広がるような気がして、志津子は秋の真夜中の寒さをまったく感じなかった。つないだ手のまんなかにハート形の石を忍ばせて、ふたりは夜の駐車場へと病院の廊下を歩いていった。

あとがき

初めて仕事をする出版社との最初の一本というのは、特別なものです。『4TEEN《フォーティーン》』の巻頭作もそうでしたが、その後の方向を決定するような力のある作品が、自然にしあがることが多いのです。

「約束」の場合も同じでした。ぼくはテレビニュースを見て泣くことはめったにありません。でも、池田小学校の事件だけは例外でした。悲しくて、腹が立ってたまらず、気づいたら鼻をすすっていました。生き残った子どもたちにエールを送り、なくなった子どもたちの魂を鎮めるために、自分になにかできないかと真剣に考えたのです。もとより遠く離れたところで、テレビを見ているだけの小説家には、ほとんどできることなどありません。安全な場所からの、自分勝手な願望です。

しかし、角川書店から初めて短篇の依頼を受けたとき、すぐによみがえってきたのは、あの事件のことでした。自己満足な鎮魂歌にすぎないかもしれないけれど、理不尽な犯罪の被害者が、苦しみから立ちあがり、人生に帰ってくる。その過程をていねいに、しっかり書こう。そうすれば、あの悲惨なだけの事件から、なにごとかを救いだすことができるかもしれない。そうして「約束」はこんな形の作品になりました。ぼくは涙もろいので、悲しい話を書いて涙ぐむことがあります。ですが、最初の一行を書いた瞬間に涙を落としていたのは、あとにも先にもこの「約束」だけです。

かけがえのないものをなくしても、人はいつか自分の人生に帰るときがくる。さまざまな喪失によって止まってしまった時間が、再び流れだすときを描く連作「バック・トゥ・ライフ」が、こうして始まりました。ぼくはどれほど容赦なく暴力を描いても、さして意味はないと思っています。そんなものより、病や喪失から生きることに立ちもどってくる人間を描くほうが、何倍も力強い。単純にそう信じているのです。

ここに収められた七本の連作のうち、ひとつでもあなたの凍りついた傷口に届くものがあれば、作者としては満足です。願わくば、そのひとつにわずかでも傷を楽にし、痛みを遠ざける効果がありますように。結局のところ、小説は出来不出来ではなく、届くか届かないかなのです。

みんな、今はうつむいていてもいいから、いつかは顔をあげて、まえにすすもう。こんな簡単なことを二百ページ以上もかけて書くなんて、自分でもあきれてしまいます。

さて、ここからは別なお約束。「KADOKAWAミステリ」から「野性時代」へ、小説誌の貴重なリニューアルの瞬間に立ちあわせてくれた編集長、堀内大示さん、お疲れさまでした。同じく「野性時代」の松崎夕里さん、いくつかの作品でいっしょに泣いてくれて、どうもありがとう。書籍事業部の吉良浩一さん、また夜の新大久保ツアーごいっしょしましょう。

新しい本は新しい命に似ています。『約束』の出生のすべての工程に手を貸してくださった無数の人たちに感謝します。でも、つぎはこんなに泣かなくてもいい作品にするつもり。

二〇〇四年　からりと乾いた爽《さわ》やかな梅雨の夜に

石田衣良

解説

北上次郎

実は私、泣き虫である。小説を読みながらよく泣く。たとえば、幼い兄弟が手をつないで森の中を歩くシーンがあったりすると、もうそれだけでジンときたりする。兄弟の仲がいいのは幼いうちだけだ。そのうち彼らも離れていくのだ。だから、この束《つか》の間の蜜月《みつげつ》がいいのだ、とかなんとか考え出すと知らない間に目頭が熱くなってくる。いささか過剰反応といっていい。

だから、涙を売り物にする昨今の傾向が気にいらない。「今年最後の涙」とか「絶対に泣ける」とか、帯で強調する小説が最近はとみに多いのである。それは版元の営業戦略で、作者の責任ではないが、そして版元にもそれなりの事情があるのだろうが、泣くことを強制されているような気がしてくる。泣き虫のくせにヘソ曲がりなので、こういう帯を見ただけで後ずさってしまう。たしかに涙腺《るいせん》は弱いけれど、泣くことを目的に読書するわけではないのだ。そのことだけを強調されたくない。

愛する人が死ぬのは哀しい。当然のことである。難病に苦しむ人の話は読んでいて辛《つら》いし、涙もあふれてくる。これも人間の感情があるかぎり当然だ。しかし、小説がそのことによりかかることとは別なのである。それを売り物にするのはどんなものか。

と常々考えているので、石田衣良の本書も最初は手に取らなかった。その帯に「かけがえのないものを失くしても、いつか人生に帰るときがくる――」という惹句《じゃっく》があったからだ。「涙」とか「泣く」という直接的な言葉がないのはいいけれど、なんだかその方向を示唆しているようにも感じられる。いや、帯裏には「絶対泣ける短篇集」という惹句があったから、示唆というレベルじゃなく、そのものずばりか。これでは、またそっち方面の話なのかよ、と思っても仕方がない。

いま書店で本書を手にして、この解説から読んだ人の中に、私と同じように感じている人がいるかもしれないので、ここに断言しておくが、そうなのです。これはそっち方面の話を集めた作品集なのです。でも、石田衣良だから、うまいぞ、たっぷり読ませるぞ。

たとえば巻末に収録されている「ハートストーン」という短編を読まれたい。十歳の息子の脳に腫瘍《しゅよう》が出来、その手術をする話である。難病ものに分類できる短編で、目新しいものは一つもない。ところが、それなのに、さすがは石田衣良、ハート形の小石という小道具を物語に登場させて、感動的な話にまとめるのである。その手つきが鮮やかだ。

ここで寄り道を許してもらえるなら、石田衣良に『1ポンドの悲しみ』という作品集があり、その中に「秋の終わりの二週間」という短編が収録されていることにも触れておきたい。広告プロダクションを経営している四十八歳の夫と、十六歳年下の妻。この二人が主人公の短編である。彼らが高級レストランに食事にいき、夫が妻にブルガリの腕時計をプレゼントするシーンに留意。結婚して七年もたつのに、妻の誕生日を覚えていたり、腕時計をプレゼントするなんて、この夫にはよほど後ろめたいことがあるに違いない、たとえばどこかに愛人がいたりして、と疑う人はこのあとの展開にのけぞってしまうだろう。この短編はなんとそれだけの話なのだ。この夫婦に危機が訪れるとか、夫が窮地に陥るとか、そういうのはいっさいなし。ぼくたち、とっても幸せだよね、というまま終わるのである。普通ならコノヤロと言いたくなる話といっていい。いや、それは私の性格か。

ところが石田衣良の手にかかると、このコノヤロ話がなんだかとても胸に染みるから不思議。こういう夫婦がいてもいいし、祝福さえするかもしれない。そんな気になってくるのである。『1ポンドの悲しみ』はハッピーエンド・ラブストーリーなので、ようするに確信犯なのだ。こういう話をぬけぬけと書くのもすごいが、それで読者を説得してしまうのもすごい。つまり筆力のある作家にしか出来ない荒技なのである。荒技とは破天荒な話を見事に着地させることを意味するのではなく、シンプルな話をストレートに描いて、なおかつ読者を納得させることだ。その意味で石田衣良は、こういう言い方を許してもらえるなら、天才的な詐欺師といっていい。

ここで話を本書に戻せば、親友を突然失った男の子、仕事をかかえながら女手ひとつで育てた息子を襲った思いがけない病など、この作品集には感動的な話がてんこもりである。いかにも、そっち方面の作品集らしい装いだ。いつもなら、コノヤロこんな話じゃ泣かないぜといいながら読み進むのだが、天才的な詐欺師は手のうちを全部見せて安心させ、読者をいつの間にか物語の中に引きずり込む。うまいよなあ。

特に、個人的にいちばん好きなのは、「青いエグジット」という短編だ。主人公は四十六歳の谷口謙太郎。十九歳の息子清人の車椅子を押しながら、彼はこんなことを考えている。

「すべては時間のせいだと謙太郎は思った。時間はすべてのものを駄目にしてしまう。過敏すぎるところがあったが、素直で活発な男の子だった清人は、こんな性格になったうえ事故で片足を失った。妻の真由子は女らしい丸い心を削られて、おどおどと息子の機嫌ばかり取るようになってしまった」

ひきこもりの清人が珍しく外出したかと思うと事故で片足を失い、いまでは「九月なのになんなんだよ、この暑さは」と悪態をついている。謙太郎も本社から研修センターに派遣され、「もうこれから自分にいいことはやってこないのだ」と覚悟している。そんな一家の暗い日々が淡々と記述されていく。謙太郎の述懐をもう一つだけ引く。

「謙太郎に希望はなかった。ただどこまで自分が耐えられるのか、その底を見極めたい。人生が自分にどれほど悪意を見せるのか、最後まで見届けたい。マイナスばかりの決意が生きる支えになるなど、若かったころには想像さえできなかったことである」

この冒頭だけで、どんどん引き込まれていく。もし自分の身にこういうことが起きたら、と考えるだけで落ち着かなくなり、ページを繰る手が止まらなくなる。親子もの、特に父と息子を描いたものに極端に弱いので、話を半分に受け取ってもらってもいいが、どういう救いを作者が用意しているのか、無性にそれを知りたくなるのだ。救いがなかったら怒るぜ、あるよね絶対。それが納得するような解決策であってほしい、と祈るように読み進むのである。

本書は、二〇〇四年七月に小社より刊行された単行本を文庫化したものです。

約《やく》束《そく》

石田衣良《いしだいら》

角川文庫 14724

平成十九年六月二十五日　初版発行
平成二十二年五月十五日　十七版発行
発行者―井上伸一郎
発行所―株式会社角川書店
東京都千代田区富士見二―十三―三
電話・編集（〇三）三二三八―八五五五
〒一〇二―八〇七八
発売元―株式会社角川グループパブリッシング
東京都千代田区富士見二―十三―三
電話・営業（〇三）三二三八―八五二一
〒一〇二―八一七七
http://www.kadokawa.co.jp
印刷所―暁印刷　製本所―BBC
装幀者―杉浦康平

い 60-1
ISBN978-4-04-385401-1　C0193

角川文庫発刊に際して

角川源義

第二次世界大戦の敗北は、軍事力の敗北であった以上に、私たちの若い文化力の敗退であった。私たちの文化が戦争に対して如何に無力であり、単なるあだ花に過ぎなかったかを、私たちは身を以て体験し痛感した。西洋近代文化の摂取にとって、明治以後八十年の歳月は決して短かすぎたとは言えない。にもかかわらず、近代文化の伝統を確立し、自由な批判と柔軟な良識に富む文化層として自らを形成することに私たちは失敗して来た。そしてこれは、各層への文化の普及滲透を任務とする出版人の責任でもあった。

一九四五年以来、私たちは再び振出しに戻り、第一歩から踏み出すことを余儀なくされた。これは大きな不幸ではあるが、反面、これまでの混沌・未熟・歪曲の中にあった我が国の文化に秩序と確たる基礎を齎らすためには絶好の機会でもある。角川書店は、このような祖国の文化的危機にあたり、微力をも顧みず再建の礎石たるべき抱負と決意とをもって出発したが、ここに創立以来の念願を果すべく角川文庫を発刊する。これまで刊行されたあらゆる全集叢書文庫類の長所と短所とを検討し、古今東西の不朽の典籍を、良心的編集のもとに、廉価に、そして書架にふさわしい美本として、多くのひとびとに提供しようとする。しかし私たちは徒らに百科全書的な知識のジレッタントを作ることを目的とせず、あくまで祖国の文化に秩序と再建への道を示し、この文庫を角川書店の栄ある事業として、今後永久に継続発展せしめ、学芸と教養との殿堂として大成せんことを期したい。多くの読書子の愛情ある忠言と支持とによって、この希望と抱負とを完遂せしめられんことを願う。

一九四九年五月三日

角川文庫ベストセラー

生きるヒント4《フォー》 本当の自分を探すための12章　五木寛之
いまだに強さ、明るさ、前向き、元気への信仰から抜けきれないのはなぜだろう。不安の時代に自分を信じるための12通りのメッセージ。第4弾！

生きるヒント5《ファイブ》 新しい自分を創るための12章　五木寛之
年間二万三千人以上の自殺者を出す、すさまじい「心の戦争」の時代ともいえる現在、「生きる」ことの意味とは、いったい何なのだろう。完結編。

ラヴレター　岩井俊二
雪山で死んだ恋人へのラヴレターに返事が届く。もう戻らない時間からの贈り物……。中山美穂・豊川悦司主演映画『ラヴレター』の書き下ろし小説。

パイロットフィッシュ　大崎善生
出会いと別れの切なさと、人間が生み出す感情の永遠を、透明感溢れる文体で綴った至高のロングセラー青春小説。吉川英治文学新人賞受賞作。

アジアンタムブルー　大崎善生
愛する人が死を前にした時、人は何ができるのだろう――。最後の時を南仏ニースで過ごそうと旅立った二人。慟哭の恋愛小説。映画化作品。

遠い海から来たCOO《クー》　景山民夫
絶滅したはずのプレシオザウルスの子を発見した洋助。奇跡の恐竜クーと少年とのきらめく至福の日々がはじまったが……。直木賞受賞作。

800　川島誠
まったく対照的な二人の高校生が800mを走り、競い、恋をする――。型破りにエネルギッシュなノンストップ青春小説！（解説・江國香織）

角川文庫ベストセラー

太陽の子
灰谷健次郎

ふうちゃんは、おとうさんを苦しめる心の病気は「沖縄と戦争」に原因があると感じはじめる。「生」の根源的な意味を問う、灰谷文学の代表作。

僕の生きる道
橋部敦子

高校教師・秀雄はガンを宣告される。今までの28年間を顧みて余命一年をみどり先生と共に生きることを選ぶ…。日本中が涙した感動のノベライズ。

僕と彼女と彼女の生きる道
橋部敦子

徹朗は銀行に勤めて8年。ある朝、妻が一人娘の凜を置いて家出する。凜とふたり悪戦苦闘するうちに、愛おしいという感情が芽生え…そして。

アーモンド入りチョコレートのワルツ
森絵都

突然現れたフランス人のおじさんに戸惑う少女と垣間見える大人の世界を描く表題作の他、ピアノ曲をモチーフに十代の煌めきを閉じ込めた短編集。

つきのふね
森絵都

親友を裏切ったことを悩むさくら。将来への不安や孤独な心、思春期の揺れる友情を鮮やかに描く涙なしには読めない感動の青春ストーリー！

冷静と情熱のあいだ Rosso
江國香織

十年前に失ってしまった大事な人。誰よりも深く理解しあえたはずなのに——。永遠に忘れられない恋を女性の視点で綴る、珠玉のラブ・ストーリー。

冷静と情熱のあいだ Blu
辻仁成

たわいもない約束。君は覚えているだろうか。あの日、彼女は永遠に失われてしまったけれど。切ない愛の軌跡を男性の視点で描く、最高の恋愛小説。